P9-BYE-787

Las formas del abuso

NO LONGER PROPERTY
OF THE LONG BEACH
PUBLIC LIBRARY/

LONG BEACH PUBLIC LIBRARY
101 PACIFIC AVENUE
LONG BEACH, CA 90822

MAY 1 8 2007

MAY 1 8 2004

Juan Luis Linares

Las formas del abuso

*La violencia física y psíquica en la familia
y fuera de ella*

SP 616.85822 L735f

Linares, Juan Luis
Las formas del abuso

33090009087158   HART

NO LONGER PROPERTY
OF THE LONG BEACH
PUBLIC LIBRARY

Long Beach Public Library
Bret Harte Branch
1595 West Willow Street
Long Beach CA 90810-3124

PAIDÓS
Barcelona • Buenos Aires • México

Cubierta de Idee

Quedan rigurosamente prohibidas, sin la autorización escrita de los titulares del *copyright*, bajo las sanciones establecidas en las leyes, la reproducción total o parcial de esta obra por cualquier método o procedimiento, comprendidos la reprografía y el tratamiento informático, y la distribución de ejemplares de ella mediante alquiler o préstamo públicos.

© 2006 Juan Luis Linares
© 2006 de todas las ediciones en castellano,
   Ediciones Paidós Ibérica, S.A.,
   Mariano Cubí, 92 - 08021 Barcelona
   http://www.paidos.com

ISBN-13: 978-84-493-1929-7
ISBN-10: 84-493-1929-3
Depósito legal: B. 30.826/2006

Impreso en Novagràfic, S.L.
Vivaldi, 5 - 08110 Montcada i Reixac (Barcelona)

Impreso en España - Printed in Spain

3 3090 00908 7158

SUMARIO

Introducción y conceptos   9
   Qué no es el maltrato   9
   Lo que sí es el maltrato   14
   Maltrato psicológico y maltrato físico   18

1. La familia y el ciclo vital   23
   La familia de origen   25
   La pareja y la familia creada   28

2. El maltrato psicólogico en la pareja   35
   Relación simétrica: las peleas   36
   Relación complementaria: la dependencia   41
   Cambio y confusión   47

3. El maltrato psicológico en la familia de origen   53
   La triangulación de los hijos   55
   La deprivación de los hijos   69
   La caotización de los hijos   76
   El maltrato a los padres   81
   El maltrato entre hermanos   85

4. El maltrato psicológico fuera de la familia ... 89
El niño maltratado por sus iguales: la escuela y
la pandilla 90
El acoso en el trabajo 95
El maltrato institucional 98

5. Qué hacer frente al maltrato psicológico 113
Cómo limitar el maltrato psicológico: la prevención 114
Cómo afrontar el maltrato psicológico: la intervención en situación de crisis y el tratamiento 117
Cómo contrarrestar el maltrato psicológico: la
rehabilitación 120

6. Un caso ilustrativo: abuso y terapia familiar .. 123

Bibliografía 133

INTRODUCCIÓN Y CONCEPTOS

Qué no es el maltrato

Es tanta la alarma social creada en torno a las noticias sobre maltrato que nos asaltan cada día desde el periódico a la hora del desayuno que está justificado cuestionarse seriamente sobre la naturaleza de tan extraño fenómeno.

> Una joven pareja de clase acomodada lleva a su hijo de 1 año a un servicio de urgencias porque respira con dificultad. Los médicos aprecian múltiples fracturas de costillas con grandes hematomas por todo el tórax. Interrogados, los padres afirman que el pequeño se ha caído de la cuna, pero las fracturas son de antigüedad diversa y algunas están mal soldadas. No hay la menor duda de que han sido provocadas por palizas propinadas a lo largo de varios meses. Además, hay cicatrices de quemaduras que confirman la espantosa tortura a la que ha estado sometido el niño, casi desde su nacimiento. Ante la policía, los padres admiten que a veces perdían la paciencia, «porque el bebé es muy llorón y desobediente».

¿Cómo es posible que unos seres humanos ataquen a otros, más débiles y dependientes, los hagan sufrir e incluso los destruyan de forma gratuita e inútil? ¿Cómo puede entenderse que se ponga en peligro de forma significativa la supervivencia de la especie? Acuciados por incógnitas de tan grueso calibre, no es raro que recurramos a respuestas simplificadoras y reduccionistas, de las que brindan una explicación rápida y, al menos en apariencia, tranquilizadora.

Una de las más socorridas, aunque ciertamente de las menos confesadas, es la que atribuye el maltrato a una cierta condición diabólica. Parece mentira, porque nunca la sociedad occidental fue tan laica como ahora y, por tanto, tan reacia a reconocer la influencia sobrenatural, divina o satánica, sobre los hechos cotidianos. Pero, aunque esa línea de pensamiento racionalista predomine en el discurso explícito, que nadie baje la guardia ni diga de esta agua no beberé, porque los mitos ancestrales, con toda su impresionante carga de irracionalidad, mantienen su vigencia inconsciente aunque parezcan derrotados por el razonamiento lógico. Por eso experimentamos miedo al volver a casa solos después de ver un *thriller* terrorífico, y por eso, de forma aún más sutil y clandestina, algunas personas, impecablemente agnósticas, atribuyen a una especie de malignidad intrínseca la responsabilidad de ciertas oscuras conductas de los humanos.

El descubrimiento, la denuncia y la producción de un discurso profesional sobre el maltrato familiar procede de los países anglosajones, de cultura protestante. A diferencia de la religión católica, que magnifica la virginidad y el celibato, para el protestantismo el matrimonio y la familia son las más sagradas de las instituciones humanas. Por lo mismo, si fracasan en sus funciones protectoras dando entrada a la violencia y al abuso, sólo puede ser por causa diabólica. Así funcionan los mitos, y así nos llegan, como virus informáticos adheridos a un mensaje impecablemente laico.

La prueba más palpable de que el mecanismo de satanización del maltrato tiene vigencia es la tendencia a condenar con la misma intensidad cualquiera de sus manifestaciones, sin considerar si se trata, como ocurre en la mayoría de los casos, de un fenómeno menor. Al igual que los predicadores amenazaban con las penas del infierno a quien incurriera en un solo pecado mortal, muchas personas pueden condenar con la máxima severidad la sola insinuación de una actitud de violencia física o sexual. Esa tendencia a absolutizar el mal, recogida incluso por unas leyes absurdas que obligan a denunciar el menor atisbo de maltrato, sin valorar matices, es de clara estirpe satanizadora.

Otro mecanismo distorsionador de la naturaleza del maltrato consiste en animalizarlo. Puesto que el hombre es, a fin de cuentas, un animal, sería esta dimensión biológica, menos noble que su mente racional, la responsable del maltrato. Por eso nos quedamos tan tranquilos cuando calificamos de bestial a un maltratador, sin la menor consideración para las pobres bestias, injustamente acusadas, aunque sea por vía indirecta, de un tipo de conducta que no les corresponde. Porque la naturaleza puede ser cruel si la contemplamos con ojos antropomorfizadores, pero posee, en sus manifestaciones más duras y sanguinarias, una coherencia adaptativa de la que está exento el maltrato humano. La violencia extraespecífica que ejercen unas especies sobre otras, llamada también depredación, es plenamente adaptativa, incluso para la especie depredada.

En las llanuras del Serengueti africano, los leones conviven con las cebras a pocos metros de distancia durante todo el día. Reina la más idílica armonía. Cada tarde, una familia de leones se despereza y la vecina colonia de cebras entra en agitación. Con pasmosa naturalidad, las leonas cazan una cebra, distribuyen sus despojos y... toda la familia se retira a descansar hasta el día siguiente.

Los carnívoros se aseguran su ración de proteínas animales y los herbívoros mantienen su multiplicación proporcionada a la extensión de los pastos. No hay maltrato entre leones y cebras.

La violencia intraespecífica, ejercida por unos individuos contra otros dentro de la misma especie, está también perfectamente programada y es tan adaptativa como la extraespecífica.

En el mismo escenario de Africa oriental, un buen día, entre cebra y cebra, la familia de leones vive un episodio que la saca de su rutina. Un nuevo macho solitario, joven y fuerte, desafía y expulsa al macho viejo, hasta entonces dominante. Luego mata a los cachorros hijos de su rival derrotado y se dispone a acoplarse con las leonas, que apenas oponen una resistencia simbólica.

La secuencia, sangrienta e inexorable, garantiza una optimización del territorio y un predominio de los mejores genes en beneficio de la especie. Gana el más fuerte, el más astuto, el más valiente... en pocas palabras, el mejor. No hay maltrato en la familia de leones, porque, al igual que las cebras, son especies programadas para compartir el éxito evolutivo. El juego de la naturaleza no suma cero, es decir, no tiene ganadores ni perdedores ni, contra lo que pueda parecer, víctimas ni verdugos.

Una tercera visión deformadora del maltrato es la que lo identifica con el género masculino, y aunque se trata de un grave error, no hay duda de que dispone de argumentos en que apoyarse. El hombre ha ejercido históricamente un dominio sobre la mujer, y aún hoy lo ejerce en muchas culturas. Además, la anatomía le proporciona elementos (los aparatos muscular y sexual) con los que construir poderosas metáforas de violencia: el falo y el bíceps, instrumentos potenciales de agresión sexual y física. Sin embargo, ello no autoriza a sostener que el maltrato sea un fenómeno masculino del que la mujer está exenta, como se empeña en defender una cierta literatura feminista comprometida en una lucha política.

> En *El Cáliz y la Espada*, una obra emblemática de la historiografía feminista, Riane Eisler (1987) parte de la evidencia de un largo período de sociedad patriarcal ligado al predominio de las relaciones de poder, para proponer una visión de la Historia marcadamente maníquea: en el principio fue la armonía, cuando primaban los valores femeninos, y luego vinieron el dominio y la violencia, de la mano de los masculinos. La civilización minoica de Creta, según la citada autora, es un buen ejemplo de lo que fue una situación ampliamente extendida por el mundo antiguo durante siglos: sociedades refinadas gobernadas por mujeres o regidas por el femenino espíritu solidario fueron barridas por las bárbaras y autoritarias hordas machistas.

Empeñadas en la misma cruzada, las feministas radicales norteamericanas han conseguido convertir el abuso sexual en la modalidad de maltrato más estudiada, con un 70 % de las publicaciones existentes sobre el tema, cuando la incidencia real de la violencia sexual apenas alcanza el 8 %. Por el contrario, la negligencia, la más destructiva y extendida forma de maltrato físico (un 70 % de los casos), no consigue siquiera el 10 % de las publicaciones. Y es que, claro está, la metáfora del falo funciona para señalar al hombre como principal

protagonista del abuso sexual, mientras que no existe
ningún argumento sólido para defender diferencias de
género en la capacidad de negligir.

El maltrato no es satánico, animal ni masculino, sino
que se trata de un fenómeno humano de gran complejidad (Linares, 2002). Asumir la satanización, la animali-
zación o la masculinización, o una combinación oportu-
nista de las tres, no sólo no ayuda a mejorar el panorama,
sino que genera prejuicios que lo empeoran. No es maltratando a los maltratadores como se mejora la calidad
de vida o se reduce el número de las personas potencialmente maltratadas, sino, fundamentalmente, creando las
condiciones para que el maltrato no prospere ni arrai-
gue. En las páginas que siguen intentaremos aportar matices y argumentos en apoyo de estos puntos de vista.

Lo que sí es el maltrato

Hemos quedado, pues, en que estamos hablando de
un fenómeno humano, pero esa afirmación no es una
simple declaración de principios. Para entenderla plenamente es necesario un viaje por la historia de la humanidad.

Existen fundadas razones para defender la idea de
que el éxito evolutivo de la especie humana, mucho
mayor que el de los leones y las cebras, se debe al amor.
Hace millones de años, en una de las bifurcaciones evo-
lutivas que conducirían a la aparición de los humanos,
unos simpáticos monitos descubrieron que la vida podía ser mucho más placentera tomándosela de forma
divertida y empezaron a jugar en grupo relajadamente
con sus crías. Además, descubrieron que el sexo podía

ser practicado fuera de los períodos de celo, lo cual aumentaba significativamente las oportunidades de disfrutar juntos y, sobre todo, de hacerlo obteniendo placer del placer del otro. Lo que esos antepasados nuestros habían inventado, en realidad, era el amor. Y no es descabellado pensar que el ulterior desarrollo específicamente humano del lenguaje se vio impulsado por esa nueva realidad relacional de naturaleza amorosa.

Porque, al igual que la capacidad de usar herramientas, el lenguaje existe en otras especies animales, especialmente en los primates superiores. Los chimpancés poseen un sutil sistema de señales para comunicarse, discriminando, por ejemplo, si un peligro procede del aire (por ejemplo, águilas), de las ramas de un árbol (serpientes) o de la tierra (grandes felinos) (Arsuaga y Martínez, 1998). En cambio, son incapaces de hacer una declaración de amor. Y, si podemos imaginar la fuerza del amor como motor del lenguaje, también seremos capaces de representarnos su capacidad de generar conductas imprevisibles, de las que amplían los límites de actuación de los miembros de la privilegiada especie que las practica. Movidos por el amor hasta el filo de lo imposible, los humanos abrieron nuevos e insospechados horizontes en defensa de su especie, trascendiendo las limitaciones de los instintos genéticamente programados. Esforzarse por el bienestar de los miembros del grupo social, ya sean los hijos, las parejas u otros familiares o compañeros, cuidarlos, alimentarlos y defenderlos de los más diversos peligros, es más fácil y se realiza con mucha más creatividad y eficacia si se les ama que si se responde a rígidos mandatos instintivos.

Los primeros y más largos capítulos de la historia natural de la humanidad pueden, desde esta perspectiva, ser entendidos de forma distinta a la que los presenta como una época oscura, presidida por instintos asesinos y caníbales. Solidarios, generosos y abnegados (calificativos inéditos en la historia natural), los humanos obtuvieron la supremacía en cuantos ecosistemas exploraron, que fueron, prácticamente, todos los existentes en el planeta. Y, según parece, lo hicieron de forma mucho menos violenta de lo que nos imaginamos desde el terrible modelo de los tiempos presentes. Por poner un ejemplo, ni siquiera eran cazadores muy entusiastas, sino más bien carroñeros. El uso preferente de los cuchillos y hachas de sílex que aprendieron a fabricar era romper los huesos de los animales muertos que encontraban, cuyo tuétano constituía su principal aporte proteínico.

La antropología nos autoriza a definir a los humanos como seres primariamente amorosos. ¿Cómo surge, pues, el maltrato? No hay duda de que se trata de una producción cultural.

Hace apenas diez o doce mil años, es decir, prácticamente nada en términos evolutivos, una serie de acontecimientos culturales inauguraron una nueva etapa en la historia humana: los hombres inventaron la agricultura y la ganadería y, con ellas, se liberaron de la lucha diaria por la supervivencia. Comer ya no dependería de los albures de un feliz hallazgo o de una caza peligrosa, sino que, por decirlo de forma expresiva, bastaría con pasar por la despensa. La producción de alimentos introdujo la sedentarización y, en consecuencia, la fundación de ciudades, lo cual supuso el arranque de la civilización. Liberados del ingente esfuerzo cotidiano por conseguir comida, los humanos pudieron dedicar sus energías a pensar, a crear belleza y a desarrollar las ciencias, lo cual supuso un extraordinario impulso cultural.

Estamos hablando de la revolución neolítica, punto de arranque decisivo de nuestra humanidad presente.

La parte sombría de tan brillante panorama es que, con la aparición de los excedentes económicos, se despertaron también los apetitos desmesurados por poseerlos. Y fue así, probablemente, como nacieron el poder y sus diversas modalidades institucionales, empezando por el Estado: para apropiarse de los excedentes económicos y, a ser posible, mediante procedimientos legitimados. Las relaciones de dominio se infiltraron entre las etnias, crearon las clases sociales y pasaron a redefinir los vínculos familiares mediante la implantación del patriarcado. Las relaciones entre generaciones (adultos y niños) y entre géneros (hombres y mujeres) dieron entrada al poder, que, inevitablemente, se convirtió en la principal fuente de interferencia del amor. Así se originó el maltrato.

Podemos, pues, definir el maltrato como el resultado de la interferencia del amor, y aunque seguramente cabe imaginar otros factores capaces de bloquearlo, el poder es el principal candidato. Somos seres primariamente amorosos y secundariamente maltratantes, lo cual quiere decir que, aunque el amor nos defina como especie, el maltrato se ha introducido de tal modo en nuestra condición humana que es impensable poderlo erradicar como si de una plaga extraña se tratara. Redimensionarlo o reducirlo sólo será posible fomentando la expansión de las relaciones amorosas, disminuyendo los obstáculos que se oponen a ellas (fundamentalmente las relaciones de poder) y ayudando a restaurar los cauces por los que fluyan, ricas y vivificadoras.

Alguien podría objetar que se trata de un problema demasiado vago y general y de un objetivo demasiado

ambicioso, incluso utópico. Desde luego, la acción política transformadora de la sociedad debe ser ambiciosa
e impulsarse por la utopía. Pero en este libro no vamos
a escribir de política, sino de una dimensión mucho
más privada e íntima en la que la pugna entre amor y
poder se manifiesta con vigencia cotidiana y en la que
todos podemos incidir sin necesidad de hacer la revolución ni de afiliarnos siquiera a un partido. Vamos a escribir sobre el maltrato familiar.

Maltrato psicológico y maltrato físico

La incidencia de las relaciones de poder en el contexto familiar puede ser externa o interna. La familia, o
alguno de sus miembros, puede ser objeto de un trato
desfavorable por parte de instancias sociales exteriores
a ella, que actúe como un factor traumático capaz de
influir negativamente sobre su estructura.

> Un padre sin trabajo, que se alcoholiza, es un buen ejemplo
> de este tipo de situaciones, que pueden complejizarse hasta el
> infinito mediante la combinación de diversos elementos de igual
> procedencia exterior. La familia en cuestión puede verse obliga-
> da a emigrar, en bloque o con uno de los progenitores abriendo
> camino; en la sociedad de acogida pueden ser discriminados
> por su raza o sus costumbres; la vivienda puede ser insalubre y
> el barrio peligroso; y así sucesivamente, en un proceso en el que
> la familia puede acabar desestructurándose y convirtiéndose en
> multiproblemática, pasando a depender de los servicios socia-
> les o degradándose y disolviéndose en el caos más absoluto.

Pero estos factores externos, para operar de forma
efectiva como obstáculo de las relaciones amorosas, tienen que combinarse con otros internos, propios de la

interacción entre los diferentes miembros de la familia, los cuales, a su vez, han sido internalizados previamente, en mayor o menor grado, desde el contexto cultural del que se nutren las narrativas y las mitologías familiares.

> Por ejemplo, el machismo de origen patriarcal será determinante en la evolución de la familia citada hacia la desestructuración, puesto que facilitará que el padre se desentienda de las responsabilidades domésticas y, amargado por su fracaso laboral, descalifique a su esposa, buscando consuelo en el consumo de drogas y en relaciones extraconyugales.

Se trata de un ejemplo sumamente sencillo, casi caricaturesco, en el que resulta bastante fácil seguirle la pista a las relaciones de poder. Sin embargo, en la mayoría de los casos éstas se disfrazan y camuflan, haciendo mucho más difícil su identificación.

Pero, antes de entrar en tales pormenores, se hace necesario delimitar lo que vamos a entender como maltrato psicológico, por contraste con lo que, con mucho mayor grado de consenso, entendemos por maltrato físico.

El maltrato físico familiar es un conjunto de pautas relacionales que, de forma inmediata y directa, ponen en peligro la integridad física de las personas que están sometidas a ellas, cuyos responsables son miembros significativos de sus propias familias. Como veremos más adelante, las diversas manifestaciones de violencia, así como la negligencia, constituyen las principales modalidades de maltrato físico familiar.

Y, entonces, ¿en qué consiste el maltrato psicológico familiar?

Para algunos, en una acepción que ha venido haciéndose más y más extendida, el maltrato psicológico, al que indistintamente se le llama maltrato emocional, vendría a coincidir con la violencia verbal, es decir, que se trataría de un uso violento del lenguaje, en forma de gritos, amenazas o insultos. Pero semejante definición no es satisfactoria, puesto que basta con ver la interacción cotidiana de numerosas familias para comprender la banalidad que puede alcanzar el uso de decibelios altos o de palabras gruesas para comunicar ciertos contenidos.

«¡Te voy a matar!», grita la abuela mientras persigue al travieso nieto, que acaba de arrancarle las flores a su geranio favorito. Y nadie en su sano juicio presentará denuncia por amenaza de asesinato.

Hay familias acostumbradas a comunicarse con una gran intensidad, que codifican y decodifican mensajes que, descontextualizados, podrían poner los pelos de punta a cualquier observador. Se gritan, se insultan, lloran, dan portazos y... al cabo de un rato se van juntos, y tan contentos, a celebrar el cumpleaños de mamá. No es ésa la esencia del maltrato psicológico.

Otras veces las cosas son más serias.

Un marido celoso, con los ojos inyectados en sangre, le dice a su descompuesta esposa: «¡Te voy a matar!». Y, tras algunas repeticiones de parecidas secuencias, un día la golpea o incluso llega a matarla.

Los gritos y las amenazas previas no eran, en este caso, para nada banales, puesto que constituían el anuncio de un gravísimo maltrato físico. Pero tampoco aquí existe una especificidad de las palabras y de su pronunciación como maltrato psicológico. La violencia verbal puede ser, y de hecho lo es muy a menudo, un anticipo o un ingrediente más de la violencia física.

El error fundamental que acompaña a estas confusiones entre violencia verbal y maltrato psicológico consiste en atribuir a éste un carácter de problema menor respecto del maltrato físico, del que vendría a constituir una especie de apéndice menos grave. Y no es así, en absoluto. El maltrato psicológico es una realidad mucho más extensa, importante y grave que el físico, por más que éste pueda cortocircuitarse y producir la muerte por la vía rápida. Aun así, será un mecanismo de maltrato psicológico el que habrá puesto en marcha la maquinaria asesina, puesto que no puede concebirse que aquél esté ausente cuando se produce maltrato físico.

El maltrato físico es como la punta del iceberg, emergente de un maltrato psicológico diez veces (por así decir) más ancho y profundo. Y, salvo en los casos de mayor gravedad de las lesiones corporales, afortunadamente también menos frecuentes, lo que más daño hace, hasta el punto de lesionar severamente la personalidad e incluso arrastrarla a la locura, es la pauta relacional subyacente, es decir, el maltrato psicológico. Lo que más le duele al niño maltratado no es el morado o el desollón, que carecerían de importancia si se los hubiera hecho en una caída de bicicleta o peleándose con un compañero, sino que sean el resultado de un ataque de ira descontrolada de su padre.

El maltrato psicológico familiar consiste, pues, al igual que el físico, en un conjunto de pautas relacionales, aunque, a diferencia de éste, su consecuencia no es un riesgo directo para la integridad física, sino una amenaza para la madurez psicológica y la salud mental de las personas sometidas a él. Si, además, existe maltrato físico, es evidente que la integridad física estará igualmente amenazada, pero no siempre los efectos globales serán entonces más graves. De hecho, las situaciones de maltrato psicológico más severas y enloquecedoras, aquellas de las que resulta más difícil defenderse, se corresponden con pautas relacionales sutiles que pueden pasar desapercibidas a terceros. Dicho de forma simple, pueden hacer más daño un silencio o una subida de cejas que una paliza.

Capítulo 1

LA FAMILIA Y EL CICLO VITAL

Cada vez resulta más difícil definir una familia, sobre todo porque los cambios sociales, que han existido siempre, han adquirido últimamente un ritmo vertiginoso.

Durante siglos predominó en Occidente un modelo de familia patriarcal, en la que convivían en una misma unidad numerosos miembros de varias generaciones. Los roles de género y de generación estaban muy claramente definidos, de modo que cada individuo sabía con gran precisión lo que se esperaba de él o de ella en cada momento de su existencia. Y se trataba de expectativas muy diferentes y polarizadas, puesto que las mujeres debían ocuparse de la casa y de los niños, así como de ciertas tareas complementarias relacionadas con la alimentación, y los hombres del trabajo, fundamentalmente agrícola y ganadero. Éstos ocupaban la cúspide de la pirámide jerárquica, a la que se ascendía de acuerdo con la edad, y eran los responsables últimos de las grandes decisiones, mientras que las mujeres administraban las pequeñas responsabilidades cotidianas. La familia patriarcal empezó a perder vigencia en las sociedades industrializadas ya desde mediados del siglo XIX, pero los procesos culturales no son homogéneos, por lo que su presencia sigue siendo notoria en muchos países y su influencia, aunque sea indirecta, sigue apreciándose en nuestras latitudes.

La Revolución industrial comportó el ascenso de otro modelo de familia, que podríamos llamar moderna, limitada a dos generaciones, padres e hijos, y presidida por una relación mucho más igualitaria de los roles de género. Más aislada y limitada en sus recursos propios, la familia moderna debía delegar en el entorno social gran parte de las funciones que ejercía la familia patriarcal, como las que tienen que ver con la educación de los hijos, aunque, en contrapartida, poseía una mayor movilidad y capacidad adaptativa. Si la fábrica del pueblo cerraba, la familia podía trasladarse a otra localidad, y si el marido se quedaba sin trabajo, la esposa podía suplirlo como suministro de recursos económicos. Sin embargo, y como prueba de la complejidad de los procesos sociales, la familia moderna siempre existió bajo la influencia del pasado patriarcal, que continuó condicionando gran parte de su funcionamiento. La imagen de la madre de familia que, agotada después de toda una jornada laboral fuera de casa, aún debe hacer las tareas domésticas es una buena ilustración de la superposición de estos dos modelos.

Por si fuera poco, desde el último tercio del siglo XX se asiste al surgimiento de un nuevo modelo de familia: la familia posmoderna. Quizá su característica más importante sea la relativización de los vínculos conyugales que comporta la generalización del divorcio, convertido en un evento evolutivo más, casi tan previsible como

el matrimonio. Divorciarse no es ya un fracaso, una vergüenza o un drama, sino algo que ocurre y con lo que
se cuenta como una posibilidad entre otras. En consecuencia, proliferan las familias monoparentales, con un
solo progenitor, y las familias reconstituidas, con toda
clase de combinaciones de hijos procedentes de anteriores matrimonios. Si a ello le añadimos las uniones de
hecho y los vínculos temporales pero duraderos (los
«noviazgos», antes patrimonio de los jóvenes y ahora
generalizados a todas las edades), el panorama resultante es de una extraordinaria variedad y fluidez. Podríamos decir que, cuando algunos vaticinaban el fin
de la familia, la realidad posmoderna nos ha aportado
unas renovadas y amplísimas redes de parentesco, en
las que no es raro que los niños dispongan de cuatro
pares de abuelos y de una cantidad proporcional de
tíos y primos (Campo y Linares, 2002).

Como ya decíamos, las mayores dificultades provie-
nen del hecho de que los modelos familiares no aparecen y desaparecen bruscamente, sustituyéndose de forma
ordenada, sino que se superponen y solapan, creando le-
gitimidades relacionales simultáneas y, a veces, contradic-
torias. Muchos conflictos y desencuentros conyugales
obedecen a incompatibilidades de modelos familiares
que, en las etapas iniciales de apasionado enamoramiento, han permanecido ocultas.

La familia de origen

La manera más simple de definir una familia de origen sería referirse a dos personas, sexualmente maduras,
que asumen el papel de padres. Aunque en la mayoría

de los casos se trate de personas de distinto sexo, también pueden ser del mismo, y la parentalidad, además de biológica, puede ser adoptiva. Todos conocemos también las variantes que, en la parentalidad biológica, pueden introducir las diversas modalidades de fecundación artificial, por no hablar de la clonación, que todavía es materia de ciencia ficción, pero que cada día asoma con más fuerza a la realidad. Y tampoco es imprescindible que se trate de dos personas, puesto que una sola puede aspirar legítimamente a crear una familia.

En cualquier caso, los niños proceden de familias, que llamaremos «de origen», en las que se les acoge y se les trata, supuestamente bien. Para su adecuada maduración y salud mental, necesitan ser bien acogidos y tratados, es decir, sentirse queridos, por esas figuras adultas y responsables que son los padres. La capacidad de éstos de responder a esas necesidades la llamaremos «parentalidad».

La parentalidad conecta con el instinto de conservación de la especie, por lo que cabe esperar que su presencia en las parejas con hijos esté garantizada por la naturaleza. Pero los humanos nos hemos distanciado mucho de nuestra condición natural, y eso significa que, a veces, la parentalidad se nos deteriora y dejamos de tratar bien a nuestros hijos. No es que seamos, entonces, padres monstruosamente desnaturalizados, ni que queramos expresamente hacerles daño, sino que perdemos el norte y anteponemos nuestros propios intereses, incluso la satisfacción inmediata de nuestros deseos más primarios e injustificables, a las necesidades de su maduración psicológica y hasta de su supervivencia física. Y ello puede ocurrir de forma prácticamente congénita, desde que se inicia la construcción de una familia, o bien, bajo determinadas circunstancias, cuando un acúmulo de factores adversos provoca un deterioro temporal de la parentalidad. Lógicamente, la influencia que ello tendrá sobre los hijos será muy variada, pudiendo afectar a todos, de la misma o de diferentes maneras, o bien a alguno solo.

Pero los niños también necesitan un referente relacional que no les implique a ellos directamente, es decir, necesitan experimentar que las personas de las que dependen, las que lo son todo para ellos, interactúan razonablemente entre sí. Esta dimensión horizontal que recoge la relación entre los padres, o entre las figuras equivalentes a ellos, es la «conyugalidad». Parece que ésta sería una prueba insuperable para una familia monoparental, en la que un progenitor se vería incapaz de construir en solitario este universo relacional paritario, entre iguales, tan necesario para que el niño aprenda cómo se organizan las relaciones sociales al nivel más cercano y trascendental. No es así, porque en la familia monoparental siempre existen figuras sustitutorias del progenitor ausente: un abuelo oportuno, un tío importante o el novio de la madre. Esas figuras, u otras equivalentes, serán suficientes para, con el progenitor presente, dar cuerpo en el peor de los casos a la conyugalidad.

En los tiempos que corren, en los que, como decíamos, las parejas se crean y se separan con gran fluidez, la conyugalidad no depende del estado civil de sus miembros. La armonía conyugal no consiste en la ausencia de conflictos, que son inevitables en los sistemas relacionales, sino en la capacidad de resolverlos de forma razonable. Una pareja separada puede mostrar una conyugalidad armoniosa si consigue gestionar adecuadamente los conflictos que surgen entre ellos en el proceso de disolución de sus vínculos y, sobre todo, en el ejercicio de su

función de padres, mientras que otra pareja que convi-
ve puede situarse conyugalmente bajo mínimos.

Podemos considerar que, entre las diversas variables
posibles, la parentalidad y la conyugalidad de los progenitores son las que más influyen en la organización
de la atmósfera relacional de la familia de origen. Y son
dos variables relativamente independientes entre sí,
pero que se pueden influir mutuamente.

Una conyugalidad disarmónica puede deteriorar secundariamente una parentalidad primariamente con-
servada. Es decir, unos padres que, de entrada, funcionan bien como tales, pueden llegar a hacerlo muy mal
bajo la influencia de tormentas conyugales incontrola-
bles. O, al revés, una parentalidad especialmente rica y
potente puede actuar como bálsamo para armonizar
una conyugalidad inicialmente áspera y problemática.

En cualquier caso, la ecuación que combina parentalidad y conyugalidad es el mejor indicativo de cómo
cumple una familia de origen con su función de asegurar la nutrición relacional de sus niños, que es, dicho
con otras palabras menos solemnes y más operativas, el
amor a que con tanta insistencia estamos refiriéndonos.

La pareja y la familia creada

Cumplidas sus funciones en la crianza de los hijos,
la familia de origen debe pasar a un segundo plano, facilitando la emancipación de aquéllos y su disponibili-
dad para crear nuevas familias. Así se engarzan los sistemas familiares en una evolución infinita a lo largo de
las generaciones. Un paso fundamental en este proceso
es la formación de la pareja.

La pareja está constituida por dos personas, procedentes de contextos relacionales diferentes, y generalmente de distinto género, que se vinculan amorosamente compartiendo un proyecto de convivencia. Ello supone la construcción de un espacio con un pensar, un sentir y un hacer comunes, aportados, en mayor o menor grado, por cada uno de ellos.

Los contextos relacionales diferentes incluyen, también, familias diferentes, lo cual ha sido muy importante para asegurar la exogamia en unos tiempos en los que el horizonte social de la inmensa mayoría de la población no iba más allá de los límites del valle en que se habitaba. Pero, además de enriquecer el ADN, el tabú del incesto ha garantizado el mestizaje cultural y la extensión de los vínculos solidarios hacia una humanidad siempre más amplia. ¡Suerte para la especie de la prohibición del matrimonio entre hermanos! No sólo los cromosomas se han renovado y saneado, sino que ello ha obligado a conocer y aceptar nuevas costumbres y a reconocer como propios a los que hasta ese momento eran ajenos. La máxima expresión de esa exogamia eran los matrimonios interdinásticos, que vinculaban a los diferentes países a través de sus casas reales, dando oportunidades (no siempre aprovechadas) de que pueblos enemigos confraternizaran.

Algunas casas reales europeas desarrollaron una política matrimonial especialmente hábil y provechosa para la prosperidad de sus pueblos. Matías Corvino, rey de Hungría a principios del siglo XVI, pronunció una célebre frase referida a la casa de Habsburgo austríaca: *Bella gerant fortes. Tu, felix Austria, nube* («¡Que hagan la guerra los fuertes! ¡Tú, Austria feliz, cásate!»). Con ella expresaba su admiración por la capacidad de aquella dinastía para rentabilizar políticamente los matrimonios de sus miembros, cuyas consecuencias impregnarían la historia europea durante cuatro siglos.

Está claro que la diferencia de género no es ya un requisito para la constitución de la pareja, aunque también es evidente que la mayoría de ellas sigue siendo de heterosexuales. Con todo, resulta sorprendente cuánto se parecen a éstas las parejas homosexuales establecidas, en lo que se refiere a las características de la relación entre sus miembros. Tanto es así que no se justificaría en una obra como ésta dedicar un capítulo específico al maltrato psicológico en las parejas gays o lesbianas.

El vínculo amoroso implica que los miembros de la pareja se han de nutrir relacionalmente entre sí, a la vez que construyen un proyecto compartido de convivencia. La nutrición relacional mutua es muy fácil en los primeros tiempos de enamoramiento, pero ése es una especie de estado de excepción, inevitablemente breve. Cuando la pareja se estabiliza, tras la euforia inicial, la continuidad de una relación nutricia dependerá de la capacidad de construir un proyecto de convivencia que sea compartible por ambos.

La primera elección se produce de acuerdo con una ecuación en la que los ingredientes fundamentales son la igualdad y la diferencia. Y no hay, por supuesto, dos ecuaciones iguales. Cada pareja valora de forma única el peso de lo que percibe en el otro como similar o diverso, pero, por regla general, lo diferente seduce, impresiona y excita, mientras que lo igual apacigua y tranquiliza. Luego, con el paso del tiempo, esas primeras reacciones deben ser confirmadas por una negociación serena y ponderada. En caso contrario, lo más probable es que lo diferente acabe provocando incomprensión y rechazo, mientras que lo igual generará aburrimiento y desmotivación.

Juan conoció a María en una discoteca de una isla caribeña en el curso de unas breves vacaciones. Quedó seducido por su calidez y su exotismo, mientras que ella apreció en él una seriedad y una solidez de las que carecían sus amigos. Tras un breve noviazgo, se casaron y se instalaron en España, donde pronto surgieron los conflictos. Ella se quejaba de la rigidez de Juan, mientras que él la acusaba de frívola y ligera de cascos.

Las parejas interculturales brindan frecuentes ejemplos de ese modelo basado en la diferencia, cuya principal hipoteca reside en la carencia de códigos comunes que eviten malos entendidos. Pero la igualdad también tiene amenazas específicas.

José Mari y Begoña procedían de familias amigas, que incluso compartían urbanización en el pueblecito costero donde veraneaban. De hecho, fue en ese ambiente de plácidas vacaciones, en una cuadrilla de amigos con idénticos intereses y aficiones, donde surgió el amor y donde se estableció el noviazgo, que se convirtió en matrimonio unos años más tarde con la entusiasmada aquiescencia de los padres de ambos. Cuando, pasada la adolescencia de sus dos hijos, Begoña y José Mari quisieron reorganizar sus vidas, se encontraron con que la pareja estaba vacía, y ambos tuvieron experiencias extraconyugales que les condujeron a la separación.

En este caso, la igualdad se convierte en rutina, lo que inhibe la negociación que debería revitalizar a la pareja.

El proyecto compartido, con un hacer, un sentir y un pensar comunes, no quiere decir que los miembros de la pareja se conviertan en clones o calcos el uno del otro, sino que es necesario que exista un espacio de encuentro que incluya algunos aspectos fundamentales, sin excluir, sino, al revés, garantizando la existencia de otros espacios donde cada uno de ellos continúe desarrollando su singularidad. Algunos de esos aspectos fundamentales, de negociación imprescindible para la consolidación de la pareja, son la naturaleza del vínculo, la jerarquía interna y el proyecto de parentalidad.

La naturaleza del vínculo a que cada uno aspira debe ser consensuada, porque las divergencias pueden resultar irreconciliables. Por ejemplo, hay quien aspira a compartirlo todo, proponiendo un modelo prácticamente fusional, mientras que hay quien exige respeto para mantener una autonomía importante, que puede abarcar ámbitos que el otro no tolera. Respecto a la jerarquía propia de la pareja, o, dicho con otras palabras, la distribución interna de roles y responsabilidades, también puede haber propuestas muy diversas. Para algunas personas, lo más natural del mundo es que el hombre diga siempre la última palabra, pero para otras resulta evidente que la mujer es quien tiene que decidir todo en lo que respecta a asuntos domésticos o relacionados con los hijos. Y, desde luego, mucha gente piensa que, en el siglo XXI, todas las decisiones importantes deben ser tomadas de común acuerdo. Si las posiciones no son consensuadas, lo más probable es que surjan conflictos de difícil resolución.

Pero, en un tema como el que nos ocupa en este libro, el proyecto de parentalidad tiene especial relevancia, puesto que es el que le da consistencia al concepto de familia creada. ¿Cómo incide sobre la pareja la llegada de los hijos?

De entrada, las cosas pueden evolucionar de formas muy diversas dependiendo del estado previo de la conyugalidad. Si los dos miembros de la pareja se quieren, juegan limpio y son razonablemente sensatos, lo más probable es que el proyecto parental los una y los consolide aún más. Sin embargo, sabemos que no es raro que una pareja atraviese una crisis a raíz del nacimiento de un hijo. ¿A qué puede deberse?

Una primera y muy simple razón es que, si las cosas ya iban mal, la sobrecarga que supone ocuparse de un bebé disminuye el margen de maniobra y la capacidad de negociar de los cónyuges. Pero, además, puede ocurrir que el proyecto parental sea más deseado por uno que por otro, con lo que la distancia entre los dos aumentará. Si, encima, resulta que el proyecto parental de uno va dirigido «contra» el otro, el pronóstico se ensombrece más aún. Pensemos en los maridos que creen que tener un hijo bajará los humos de la esposa, que la obligará a dejar el trabajo y la hará más controlable. O en las mujeres que, de forma más o menos explícita, están más interesadas en el semen de sus maridos que en la personalidad de éstos.

En cualquier caso, pasar de dos a tres convierte la relación en algo extraordinariamente complejo.

> No son raras las quejas que reflejan sentimientos de abandono o de desinterés por parte del cónyuge. «Desde que tenemos al niño, nuestra vida sexual prácticamente ha desaparecido. Se podría decir que he dejado de interesarle.» O: «No sé lo que es tener ayuda. La crianza del niño me ha hecho experimentar lo que es sentirse sola».

Y lo más complicado es que, muy a menudo, las quejas coexisten en los dos, se refuerzan mutuamente y, en cierto sentido, comparten la razón. Pasar de dos a tres (o a cuatro, o a cinco, que para el caso es igual) no es tarea sencilla y requiere de nuevo amor y negociación.

Capítulo 2

EL MALTRATO PSICOLÓGICO
EN LA PAREJA

Es en el contexto de la pareja donde cobra plena vigencia la puntualización que hacíamos en la introducción sobre lo que es y lo que no es el maltrato psicológico. Porque, así como es raro escuchar a un hijo quejarse de que sus padres lo maltratan psicológicamente, y podemos asegurar que muchos tendrían fundadas razones para hacerlo, son frecuentes esas quejas en boca de esposas y referidas a sus maridos. Y la cosa es lo suficientemente compleja como para requerir una aclaración.

El discurso es totalmente diferente del que corresponde al maltrato físico, en el que, en principio, si una mujer se queja de que su marido la golpea, hay que creerla y ayudarla a protegerse. En lo tocante al maltrato psicológico, en cambio, denunciarlo es ya una defensa eficaz, por lo que podemos aplicar una regla que, sujeta a todo tipo de excepciones, nos puede indicar un camino que seguir: ante indicios de maltrato psicológico, quien no se queja puede estar en peligro, mientras que quien se queja está defendiéndose razonablemente o... está desvirtuando la situación. Nos explicaremos.

Existen dos modalidades fundamentales de relación: una basada en la igualdad, llamada simétrica, y otra basada en la diferencia, llamada complementaria. En la relación simétrica, dos personas que interactúan poseen el mismo poder o, dicho de otra forma, poseen la misma capacidad de definir la situación. Tienen las mismas opciones de influir sobre los acontecimientos y la evolución de la relación. En cambio, en la complementaria, uno de los dos está en condiciones de superioridad en cuanto a esa capacidad de definir las cosas y de influir sobre ellas.

En la relación simétrica, la gestión de los desacuerdos y de los conflictos conduce a escaladas en las que ambos contendientes recurren a medidas similares en el intento de inclinar la balanza a su favor. Tales escaladas pueden interrumpirse cuando uno de los dos abandona momentáneamente el campo de batalla, pero se suelen reanudar con facilidad en una secuencia sin fin. En la relación complementaria, sin embargo, las interacciones conflictivas suelen confirmar la diferencia, aumentando la superioridad de quien ya estaba en dicha posición y relegando al inferior a una siempre mayor supeditación. Existen modalidades de maltrato psicológico propias de cada uno de estos tipos de relación, que serán examinadas a continuación.

Relación simétrica: las peleas

Decíamos antes que hay que desconfiar de las quejas de maltrato psicológico en una relación de pareja, porque el solo hecho de que se puedan expresar denota un grado suficiente de defensa. Esto es típico en la relación simétrica, y no quiere decir que en ésta no exista maltrato psicológico, sino que posee una característica fundamental: la de ser compartido. Los miembros de una pareja simétrica, cuando se maltratan psicológicamente, lo hacen de forma recíproca.

Eduardo y Mercedes procedían de familias de muy distinta condición: la de él era inmigrante y muy pobre, mientras que la de ella formaba parte de la aristocracia autóctona de la pequeña ciudad en la que habitaban. A pesar de esas diferencias, Mercedes y Eduardo se conocían desde que eran compañeros de curso en la escuela secundaria, habían frecuentado el mismo grupo de amigos y, antes de ser novios, habían sido colegas y compinches. Se amaban apasionadamente, pero discutían como perro y gato, o como dos hermanos, por cualquier pretexto. Entonces se decían cosas espantosas: «Eres un delincuente, un paria miserable y mafioso, como toda tu familia». «¡Quién fue a hablar de mafia! No es que seas simplemente una pija, lo tuyo es inmoralidad. Eres capaz de asesinar fríamente, lo mismo que tu padre, que denunciaba a sus vecinos después de la guerra.» Y así sucesivamente. Tenían una rara habilidad para herirse diciéndose las cosas que más daño les podían hacer en cada momento. Luego se reconciliaban, pero las peleas duraban cada vez más y les dejaban más tiempo lastimados.

Peleas como ésas suministran el mejor ejemplo del maltrato psicológico propio de las relaciones simétricas: por definición, al tener los dos miembros de la pareja similares recursos relacionales para influir sobre el curso de los acontecimientos, también son capaces de maltratarse psicológicamente de forma parecida.

Sin embargo, sabemos cuán diferente es el desarrollo muscular en hombres y mujeres. Y no sólo eso, sino también qué distinta es la familiaridad de ambos géneros con la violencia física. Por eso, no es de extrañar que, a veces, el hombre se sienta inclinado a desempatar recurriendo al supremo argumento de la fuerza muscular. Y, entonces, el maltrato psicológico que ambos se infligían incorpora un elemento nuevo de maltrato físico, en el que el hombre aparece como el principal responsable.

En otras ocasiones el hombre se siente perdedor en la confrontación verbal, porque considera que la mujer domina mejor las palabras y maneja con más comodidad la expresión de las emociones. Por eso, sintiéndose acosado, se cree legitimado para pasar a los actos.

> Cuando la discusión entre Eduardo y Mercedes alcanzaba una cierta intensidad, él se callaba, sintiéndose incapaz de rebatirla con palabras, pero Mercedes interpretaba su silencio como la máxima expresión de hostilidad, y arreciaba su carga dialéctica. Angustiado e impotente, Eduardo intentaba irse, pero Mercedes le cortaba la retirada exigiéndole que siguiera dando la cara. Entonces, Eduardo podía perder los estribos y golpearla para hacerla callar.

En las parejas simétricas, los dos miembros disponen de armas relacionales acordes con los roles de sus respectivos géneros. Las mujeres usan las palabras y los hombres usan el silencio. Y es una distribución de roles que es operativa en la intimidad, porque, en la esfera pública, puede ocurrir que ese mismo ser huraño y cabizbajo sea un excelente orador, mientras esa otra persona dialécticamente tan hábil se muestra incapaz de abrir la boca. En cualquier caso, los dos pueden hacerse mucho daño.

¡Cuántas fuentes de incomprensión y de conflicto brindan esos roles de género, que hombres y mujeres consideran como lo más natural del mundo, mientras que no son otra cosa que estereotipos y clichés aprendidos, tan caricaturescos como empobrecedores! Y ambos interpretan la conducta del otro como maltrato psicológico, pero son incapaces de enjuiciar críticamente la propia.

Berta y Enrique acudieron a terapia de pareja para intentar salir del impasse en el que se hallaban. Se querían y no les apetecía separarse, pero no podían soportarse más. Ambos describían la conducta del otro como el colmo de la crueldad y la desconsideración, más o menos en los siguientes términos: «Berta me espera, cuando llego agotado del trabajo, con las cuentas pendientes de la discusión de la mañana. Como no tiene nada que hacer en todo el día, se lo ha preparado bien, y me asalta exigiéndome que hablemos antes de quitarme siquiera los zapatos. Yo ya sé que la única forma de calmarla es darle la razón, pero no soy capaz porque no lo considero justo. Así, me hago a la idea de que será otro día más de morros y, desde luego, sin sexo…».

«Enrique llega por la noche, después de haberse ido por la mañana dando un portazo, como si no hubiera pasado nada. Cuando yo le digo que hablemos, se sube por las paredes, como si lo estuviera insultando. Entonces se calla, me oye como quien oye llover y, en cuanto puede, se encierra en el despacho con el ordenador. Y luego, al acostarnos, se me acerca pretendiendo que hagamos el amor…»

En quejas como éstas se encuentran condensadas muchas de las características de los roles masculino y femenino que alimentan los conflictos de las parejas simétricas. Pero, además de las discusiones y peleas en sí mismas, el maltrato psicológico propio de estas situaciones tiene otras posibles consecuencias negativas, tanto sobre sus miembros como, eventualmente, sobre los hijos.

La interacción simétrica sirve, con frecuencia, de cobertura relacional de los síntomas neuróticos de los miem-

bros de la pareja. En efecto, los síntomas relacionados
con la ansiedad neurótica, de tipo histérico, distímico u
otros, suelen encontrar en esas relaciones de alta conflictividad un contexto privilegiado para su mantenimiento y su incremento.

> Josefa y Antonio habían sido siempre una pareja mal aveni-
> da, si bien durante muchos años habían conseguido una cierta
> estabilidad. El equilibrio se rompió cuando los dos hijos se em-
> parejaron y se marcharon de casa, coincidiendo con la muerte
> del padre de Josefa, de quien ella era el ojo derecho. Además,
> por las mismas fechas, Antonio obtuvo una prejubilación eco-
> nómicamente ventajosa, que le hizo pasar mucho más tiempo
> en casa. Las condiciones eran las adecuadas para atizar la ho-
> guera: Josefa en horas bajas y numerosas ocasiones para dis-
> cutir. Antonio decidió que su mujer gastaba demasiado dinero y
> que él se iba a encargar de la administración de la economía fa-
> miliar, lo cual, como era de suponer, le provocó un enorme dis-
> gusto a Josefa. Ésta empezó a sentirse mal: triste, desmotivada
> y con una gran angustia que, aunque no la dejaba dormir, tam-
> poco le permitía abandonar la cama. No tardaron en diagnosti-
> carla como distímica. Para Antonio ello suponía un continuo sin-
> vivir, puesto que, cuando su mujer entraba en crisis, él debía
> estar en posición de total disponibilidad para llamar al médico,
> llevarla a servicios de urgencias y ocuparse de las tareas do-
> mésticas. Y, por si todo eso fuera poco, desde luego nada de
> sexo.

Cuando una relación simétrica se desestabiliza, rom-
piéndose la igualdad que hasta entonces la caracteriza-
ba, una de las cosas que pueden ocurrir es que los síntomas neuróticos de quien ha perdido pie ayuden a
restaurar un precario equilibrio. Se gana poder, a costa
de mantener un renovado pulso, aún más doloroso que
el anterior. Es otra modalidad de maltrato psicológico.
   Pero también puede ocurrir que, como en el caso
de Eduardo y Mercedes, la violencia física haga irrup-

ción, introduciendo un sesgo nuevo en la relación de maltrato. Con todo, el problema de fondo seguirá siendo el mismo: ese maltrato psicológico subyacente, que nunca debería ser minimizado.

Por último, existe siempre la posibilidad de que la relación de maltrato trascienda los límites de la pareja para implicar también a los hijos. En ese caso, y tratándose de parejas simétricas, la modalidad más probable de maltrato psicológico parento-filial que se desarrollará será la triangulación, en la que los hijos entrarán a participar en los juegos relacionales disfuncionales de los padres mediante alianzas, coaliciones y enfrentamientos de muy diverso signo. Pero eso será abordado más adelante.

Relación complementaria: la dependencia

Juan y Lola se conocieron cuando él acababa de licenciarse en Derecho. Juan era un hombre discreto, culto y con inquietudes políticas, mientras que Lola era una preciosa muchacha, sin preocupaciones intelectuales pero con una gran alegría de vivir. Se casaron y tuvieron cuatro hijos, sin que nunca un problema de convivencia turbara su felicidad. Juan aportaba a la pareja solidez y solvencia profesional, un perfil de abogado de éxito que suscitaba admiración y respeto, algo que Lola necesitaba para brillar en sociedad con su belleza y su desenvoltura, convertida en la mejor relaciones públicas de su marido. Sin ella, éste habría tenido dificultades para moverse con soltura, mientras que sin él, ella no habría pasado de una mediocre frivolidad. Él tomaba las decisiones importantes, pero siempre la oía a ella primero. Por otra parte, Lola reinaba en el día a día sin que a su marido se le ocurriera discutirle el menor capricho. La timidez y el fondo de inseguridad de Juan eran fácilmente superables gracias a la abrumadora seguridad de Lola, capaz de infundirle en los momentos decisivos aplomo y optimismo. Su amor se reforzó con esta perfecta complementariedad a lo largo de los años.

Lo mismo que la igualdad, la desigualdad no es en sí un problema y, mucho menos, una modalidad de maltrato. Juan y Lola habrían sido personas vulgares por separado, mientras que, juntos, pudieron darse mutuamente lo que necesitaban para alcanzar una vida plena. Nadie nace simétrico o complementario, sino que tales cualidades son propias de las relaciones que se construyen. Si no hubieran tenido la suerte de poseer una maravillosa química relacional, Juan y Lola habrían podido construir una pareja simétrica, en la que las armas de que disponían les hubieran servido para luchar entre sí por la supremacía. O, sin abandonar el campo de la complementariedad, habrían podido hacer más rígidas sus diferencias, construyendo vínculos de dependencia de los que tan difícil resulta librarse.

Desde luego, hablando de parejas complementarias, no hay duda de que, al amparo de la diferencia de poder, pueden anidar también formas específicas de maltrato psicológico. Y ello ocurre, como decíamos, cuando la desigualdad se vuelve rígida y se consagran posiciones sesgadas de dominio y de dependencia.

En otros tiempos, cuando prevalecía el modelo familiar patriarcal, la pareja complementaria era la predominante, con el hombre en posición de superioridad y la mujer supeditada enteramente a él. Aún hoy en día muchas culturas siguen presentando esta estructura como la única concebible, proponiendo un tipo de relación en la que el hombre protege benévolamente a la mujer, corrigiéndola y ayudándola a superar sus debilidades. Todavía están presentes en la memoria colectiva las recomendaciones de un imán islámico, instalado desde hace mucho tiempo en nuestro país, sobre cómo había que golpear a la mujer para, reconduciéndole sus

devaneos, no hacerle mucho daño y dejar la menor
huella posible.

> La donna é mobile
> qual piuma al vento.
> Muda d'acento
> e di pensiero.
>
> (La mujer es mudable
> como pluma al viento.
> Cambia de discurso
> y de opinión.)

Son los célebres versos de la inmortal ópera de Giu-
seppe Verdi, *Rigoletto*. Y parecen emanar de un espíritu
benevolente e irónico. Sólo que quien los canta es el
duque de Mantua, cínico depredador que, él sí, con-
quista mujeres y las tira a la basura una vez usadas. El
poder, si es unilateral y sin compensaciones, es raro que
se limite a proteger y, por el contrario, muy probablemente sojuzgará y abusará.

La complementariedad rígida, como modalidad de
maltrato psicológico, prende también en sus redes de sufrimiento a los dos miembros de la pareja, aunque de-
sempeñando roles radicalmente distintos. Y es fácil que
quien se sitúa en posición de inferioridad incorpore los
síntomas a su rol.

Cuando vino al mundo, Margarita se encontró a unos padres desbordados por dos experiencias parentales previas pro-
blemáticas: un hijo adoptivo, cuya hiperactividad fue convirtiéndose con el paso de los años en turbulencia e inadaptación, y
una hija biológica con graves dificultades metabólicas congéni-
tas. Desde muy pronto, Margarita se tuvo que especializar en

cuidar de sus hermanos, ayudando a sus padres y sin que su trabajo extra alcanzara una justa valoración. Tanto es así que, cuando, al alcanzar la adolescencia, ella misma presentó problemas hormonales y de columna vertebral, los padres tardaron en llevarla al médico, sosteniendo que exageraba para eludir sus responsabilidades domésticas. Muy joven aún, Margarita creyó encontrar en Julio al tan ansiado protector, fuerte y generoso, capaz de subvenir a sus necesidades. El muchacho se cuidó de su salud, llevándola al médico y haciéndose cargo de los honorarios. El matrimonio pareció cambiar la vida de Margarita, pero pronto llegaron los desengaños, porque no tardó en descubrir que el afán protector de Julio no se limitaba a ella, sino que, por el contrario, se manifestaba continuamente con nuevas personas. No es que le fuera sistemáticamente infiel, aunque, en cierta ocasión, hubo fundadas razones para sospechar que existían relaciones más que amistosas con alguna de sus protegidas. El problema era que Julio priorizaba las atenciones a la primera persona que aparecía en el escenario, olvidándose sistemáticamente de las necesidades de su esposa. Cuando ésta descubrió una enésima traición de tales características, más grave que las anteriores porque amenazaba la economía familiar (Julio hipotecó la casa para hacerle un préstamo a su primo), entró en crisis y desarrolló una depresión severa.

Las formas más graves de la depresión, lo que la psiquiatría conoce como *depresión mayor*, suelen anidar en relaciones complementarias rígidas, en las que el cónyuge sano va asumiendo progresivamente responsabilidades, mientras el depresivo se hunde en el pozo del rol de enfermo. El primero se convierte en figura prestigiosa, merecedora del respeto de todos por su carácter sufrido, abnegado y, a veces, hasta heroico, pero a costa de consagrar su existencia al desempeño de funciones de cuidador de una persona siempre más irresponsable e incapaz. Ésta, el paciente, ve en los síntomas la única manera de interactuar con cierta iniciativa, pero paga un enorme tributo en forma de descalificación y pérdida de consideración social: se le respeta como enfermo, pero ni se le valora como persona ni se confía en él.

Es lo que le ocurrió a Margarita, que, cuando acudió a terapia con el diagnóstico de «depresión mayor resistente», había recibido numerosos tratamientos que, todo lo más, habían conseguido mantenerla a flote durante algunos meses. Luego se producía la recaída, que hacía de Margarita una mujer cada vez más hundida e impotente y de Julio un eficaz auxiliar de terapeuta, siempre atento a que su mujer siguiera las indicaciones médicas. Es evidente que, de esta manera, él conseguía renovar su histórico papel de ayudador, facilitado ahora por el estado de Margarita, incapaz de cualquier rebeldía que no fuese enfermar más gravemente.

No es raro que el maltrato psicológico oculto tras la aparente armonía de una relación complementaria de estas características culmine en un suicidio, que ha podido verse anunciado por tentativas previas, afirmaciones de que «la vida no tiene sentido» o gestos autolesivos de la más variada naturaleza. De hecho, el suicidio, acto supremo de un proceso depresivo en el que el maltrato psicológico se convierte en físico de la manera más trágica, encierra una gran coherencia comunicacional. Quitándose la vida, el depresivo se castiga a sí mismo por ser incapaz de responder a las exigencias de los demás (cuidar eficazmente de todo el mundo o curarse, aunque sólo sea por el bien de sus seres queridos) y castiga a las figuras relevantes de su entorno, que no han sabido percibir sus necesidades y responder a ellas, con un legado de culpabilidad generadora de gran malestar.

Otras veces, la complementariedad rígida sirve de trasfondo relacional a problemas como el *alcoholismo*.

José Luis era un hombre culto y simpático, un profesional prestigioso al frente, como ingeniero gerente, de una empresa pequeña pero saneada. Pero José Luis bebía y, aunque era un experto en el disimulo y la mentira piadosa (sobre todo consigo mismo), sus frecuentes descontroles empezaban a poner en peligro su trabajo. En cuanto a su familia, las dificultades eran más antiguas y complejas. Su mujer, Magdalena, era maestra y psicóloga, pero había renunciado a su vida profesional, consagrándose en cuerpo y alma a cuidar de su marido y de los dos hijos de la pareja. En el contexto familiar, José Luis era como un hijo más, juguetón y complaciente con los dos pequeños y travieso y rebelde con Magda, de quien intentaba ocultarse para realizar sus fechorías, solamente para retrasar el momento en el que, descubierto inevitablemente, debería encajar la correspondiente regañina. El juego se prolongaba desde hacía años y convertía a Magda en una supermadre y a José Luis en un superhijo, con el alcohol como nudo sintomático que operaba como pieza clave, asegurando el rol de ambos.

El alcoholismo, igual que otros hábitos descalificantes como el *juego patológico* o la *ludopatía*, se desarrolla bien en estos contextos relacionales complementarios, en los que el cónyuge sano goza de las atribuciones prestigiosas de la posición de superioridad a expensas de la degradación del cónyuge enfermo. Por supuesto que el discurso explícito de ambos es ajeno a estos planteamientos relacionales y sólo suele recoger frustración y reproches recíprocos o, a veces, la negación de todo conflicto.

En todas estas situaciones es legítimo hablar de maltrato psicológico porque el amor interferido cede el paso a la utilización del otro, en beneficio más o menos encubierto y más o menos contradictorio de sí mismo. En realidad, se trata, casi siempre, de procesos mutuamente destructivos, en los que todos pierden.

Cambio y confusión

A pesar de que las situaciones extremas de simetría y de complementariedad en la pareja conllevan modalidades específicas de maltrato psicológico, lo que ocurre en la mayoría de los casos es una superposición de patrones relacionales. Y no es raro que esto se deba a un cambio evolutivo en los modelos familiares culturalmente imperantes, cuyo relevo no se produce, como decíamos, de forma clara y nítida, sino a través de largos períodos de coexistencia y de sustitución progresiva (Cárdenas y Ortiz, 2005).

Durante siglos, en Europa predominó un modelo de familia que, todavía hoy, subsiste en lugares más o menos recónditos de nuestro continente y que, sobre todo, nos visita de la mano de ese fenómeno universal que es la inmigración. Se trata de la *familia patriarcal*, que ilustra muy bien las pautas de relación complementarias a las que nos hemos estado refiriendo.

Sus fundamentos estructurales, en efecto, se basan en la diferencia y en la división sexual del trabajo: los hombres fuera de casa y las mujeres dentro. El género regula estrictamente las conductas, pero el vínculo de la pareja se establece mediante la concertación o el acuerdo de las familias de origen, que deciden quién se casará con quién y, por supuesto, cuándo, dónde, cómo y mediante qué transacciones económicas. Existen estudios que demuestran que esta modalidad de emparejamiento no comporta ni más ni menos felicidad que aquella otra, basada en el enamoramiento, a la que estamos acostumbrados en las sociedades contemporáneas occidentales. Porque, en efecto, la pareja patriarcal no se casa enamorada, y se espera de ella que desarrolle posteriormente un adecuado apego afectivo.

Toda institución social, y la familia lo es, necesita unas fuentes de legitimación que controlen, aprueben o censuren su funcionamiento. La familia patriarcal tiene en la comunidad y en la familia extensa su instancia legitimadora, que inspira los caminos que hay que seguir y determina las decisiones que se van a tomar. Los vínculos de lealtad con la familia extensa, representada principalmente por padres, abuelos y hermanos, son tan fuertes que, por ejemplo, es a ese nivel al que se regula la parentalidad. Las presiones pueden ser sutiles o brutales, pero, en cualquier caso, una pareja joven no puede sustraerse a ellas a la hora de decidir cuántos hijos desea tener.

La *familia moderna* se abrió paso en Occidente a lo largo del siglo XIX hasta llegar a ser el modelo predominante: una familia nuclear, compuesta sólo por miembros de dos generaciones, padres e hijos, y que vive con relativa independencia de la familia extensa. El enamoramiento y la pasión, con su correspondiente tendencia a la fusión total, es el principio rector de la fundación de la pareja, que se basa en la igualdad de sus miembros. El género deja de ser un referente claro de rol y jerarquía, puesto que tanto el hombre como la mujer trabajan fuera de casa y aportan recursos económicos. La propia pareja es la principal fuente de legitimidad, y en su seno se negocian las decisiones que se van a tomar, incluyendo desde luego las referidas a la parentalidad y a la regulación voluntaria de la natalidad.

No hay que esforzarse mucho para percibir que, más allá de las declaraciones de principios, la familia moderna, como la hemos conocido mayoritariamente, incorpora muchos y muy significativos elementos de la familia patriarcal, puesto que la sustitución de ésta por aquélla es un proceso histórico que dista de haberse completado. Imaginemos, pues, las situaciones que se pueden vivir cuando dos personas procedentes de modelos diferentes se asocian para constituir una pareja. Un hombre patriarcal y una mujer moderna, por ejemplo.

Luisa conoció a Carlos en el curso de un viaje a Colombia, cuando coincidió con él en la relajada paz de una playa caribeña. Se enamoraron bailando, bebiendo tragos y tomando el sol juntos y, después de unos pocos meses de contactos por teléfono y por correo electrónico, se casaron y se establecieron en España. Carlos era ingeniero informático y encontró trabajo con facilidad, mientras que Luisa continuó ejerciendo su profesión de enfermera. Pronto surgieron algunos problemas entre Carlos y su familia política, que no entendía lo que llamaba las costumbres de gran señor de él, como, por ejemplo, que se hiciera servir las copas por Luisa sin moverse de la butaca, que no colaborara en absoluto en las tareas domésticas y que reivindicara su derecho a salir de noche con los compañeros de trabajo sin concedérselo también a su mujer. Pero las cosas empeoraron, sobre todo, a raíz del nacimiento de un hijo, cuando Carlos empezó a presionar a Luisa para que dejara el trabajo. Él decía que era inconcebible que recibieran tan poca ayuda de los padres y hermanos de Luisa y que, ya que era así, no tenía más remedio que quedarse en casa cuidando del niño. Otra cosa sería si se fueran a vivir a Colombia, donde la familia de él actuaría de otra manera, ayudando de modo que Luisa tuviera mucho más tiempo libre.

Se fueron a Colombia, pero las dificultades aumentaron porque la familia de Carlos ayudaba, sobre todo, diciendo lo que debían hacer, lo que no incluía desde luego que Luisa trabajara. Es cierto que se quedaban muy a menudo con el niño, pero eso no tranquilizaba a Luisa, que lo percibía más bien como una amenaza de perder a su hijo. Las peleas en la pareja fueron haciéndose cada vez más intensas, con Carlos progresivamente más violento y Luisa paralizada por el miedo y la tristeza.

En realidad, los problemas de Carlos y Luisa provenían del hecho de que, en su pareja, coexistían dos modelos que ambos habían aportado de sus familias de origen. Una vez que el enamoramiento se enfrió, la incomprensión y el rechazo no cesaron de ganar terreno.

Otras veces se produce un cambio, que es el responsable de que los dos modelos se superpongan.

Cuando Ignacio y Berta se conocieron, los dos acababan de emigrar a la gran ciudad, procedentes de una misma zona rural y de sendas familias campesinas. Su pareja, aunque construida en el desarraigo que suponía la separación de las familias extensas, se fundó sobre bases patriarcales clásicas. Berta abandonó el trabajo para dedicarse a la casa y a los niños, mientras que Ignacio hizo de albañil hasta que, trabajando mucho, consiguió crear una pequeña constructora. Era, sin embargo, un hombre de escasa formación, casi analfabeto, lo cual lo hacía sentirse inseguro como empresario.

Berta, cuando los niños entraron en la adolescencia, decidió que tenía que ocuparse de su vida, así que estudió bachillerato y entró en la universidad, donde floreció en un mundo nuevo, lleno de relaciones y estímulos. La pareja entró en crisis, porque la docilidad dependiente a la que Ignacio estaba acostumbrado por parte de su esposa carecía de sentido en las circunstancias actuales. Berta había crecido en su horizonte cultural, mientras que Ignacio, a pesar del progreso económico, seguía anclado a sus pautas tradicionales, a las que se aferraba con creciente angustia. Fue inevitable que surgiera la confrontación, e incluso algunos episodios de violencia física.

Pero, como hemos visto, los modelos vigentes no se limitan a las familias patriarcal y moderna. Con el avance de la sociedad de servicios en el mundo occidental, ha ido apareciendo la familia posmoderna, en cuyos fundamentos destaca un marcado hedonismo, que orienta a la pareja hacia la búsqueda preferente del placer y del confort. El vínculo conyugal se establece, paradójicamente, con una relativización del matrimonio como institución, considerado cada vez más como un trámite superfluo. No es raro, por tanto, que la separación se contemple como una eventualidad posible ya desde los inicios de la pareja y que se realicen procedimientos legales en previsión de sus consecuencias económicas. Sin llegar tan lejos, lo que es indudable es que la separación o disolución de la pareja se desdramatiza, dejando de ser un fracaso o calamidad y convirtiéndose en un evento más del ciclo vital.

Las fuentes de legitimidad, lejos de la comunidad, de la familia extensa o, incluso, de la pareja o de la familia nuclear, se centran en el individuo. Es decir, que la pareja tiene sentido única y exclusivamente si sus miembros se benefician de ella a nivel individual. Por eso es tan importante la delimitación y defensa de territorios individuales, y por eso tantas parejas posmodernas no construyen ni tan siquiera un hábitat común y conservan celosamente los dos domicilios.

Los roles de género también se relativizan e incluso se invierten, y no es raro que se alternen en función de circunstancias que pueden afectar a los miembros de la pareja. Por ejemplo:

> En un momento de mucho compromiso laboral en el que Ana debía viajar a menudo, Javier, que trabajaba desde casa con el ordenador, se ocupó de las tareas domésticas y de cuidar al hijo. Luego, cuando él cambió a un trabajo más presencial, ella pudo organizarse para dedicarle más tiempo a la casa y al niño.

La estructura más típica de la familia posmoderna es la que resulta de la reconstitución, es decir, de nuevos emparejamientos subsiguientes a la separación de

los cónyuges. La familia reconstituida puede represen-
tar una alternativa llena de recursos y de potencialida-
des si es gestionada de forma armoniosa. Así, no es raro
que algunos niños se encuentren con varias combinaciones de hermanos y con, por ejemplo, cuatro parejas
de abuelos, lo cual puede constituir una notable rique-
za en tiempos de una tasa de natalidad baja. Además,
cada vez son más frecuentes las adopciones y, entre éstas, las internacionales, que incorporan un elemento
más de relativización de los vínculos de sangre.

Por último, en el mismo contexto posmoderno, han
surgido las nuevas formas de conyugalidad y de parentalidad: familias monoparentales, parejas gays y lesbianas, así como todas las combinaciones procedentes de
fecundaciones artificiales.

De nuevo aquí surgen múltiples posibilidades de que
coexistan proyectos diferentes, en los que los elementos
posmodernos entren en contradicción con otros mo-
dernos o incluso patriarcales. Algo así está ocurriendo
cuando, en nuestros días, uno de los miembros de la
pareja expresa el deseo de casarse o de vivir juntos,
mientras que el otro asegura que *ya está bien como está,*
entendiendo por ello seguir viviendo con su madre o
en el domicilio de su anterior pareja. O incluso cuando
uno quiere tener hijos y el otro no. La contraposición
de diferentes modelos puede ser, una vez más, origen
de conflictos, de malos entendidos y, desde luego, de
maltrato psicológico.

Capítulo 3

EL MALTRATO PSICOLÓGICO EN LA FAMILIA DE ORIGEN

Si el maltrato en las relaciones entre iguales cuestiona los fundamentos de la civilización, cuando alcanza los vínculos parento-filiales se convierte en una amenaza frontal a la supervivencia de la especie. Por ello, durante siglos, se cerraron los ojos ante la lacerante realidad de, por ejemplo, el abuso sexual a los niños en el seno de la familia, hasta el punto de que, en fechas tan cercanas como los comienzos del siglo XX, Sigmund Freud construyó el psicoanálisis sobre la firme convicción de que las pacientes afectas de histeria que manifestaban haber sido objeto de abuso sexual por parte de sus padres lo hacían desde la fantasía creada, y no desde la realidad vivida.

Tuvieron que acumularse muchas evidencias, desde la perspectiva crítica de personas identificadas con la defensa de los derechos del niño y de la mujer, para que se pudiera superar la sistemática negación de los horrores que, tras la honorable fachada de tantas familias *más allá de cualquier sospecha*, se perpetraban en la discreta intimidad de las alcobas. Algo similar podría decirse de la violencia física, tantas veces camuflada como disciplina o como un justo ejercicio de la autoridad.

Hoy es una evidencia que el maltrato físico intrafamiliar existe y se ceba con los menores, al igual que resulta obvio el deber social de protegerlos, pasando por encima, si es necesario, de la patria potestad de unos padres que no son propietarios de sus hijos. Se ha desarrollado una rigurosa legislación que incluso obliga a denunciar cualquier sospecha de maltrato físico, incurriéndose a menudo en abusos por exceso de celo, a los que haremos referencia más adelante (véase el apartado «El maltrato institucional», en el capítulo 4). Pero el tabú parece haberse trasladado al campo psicológico, donde los ojos mediáticos y sociales siguen cerrados a la realidad de unas relaciones familiares capaces de dañar gravemente la integridad mental de los niños.

A continuación se examinarán algunas de las situaciones familiares que, de forma característica, producen relaciones psicológicamente maltratantes, así como sus principales consecuencias psicopatológicas. Y también se describirán las modalidades de maltrato físico que, con mucha menor frecuencia, encuentran un terreno abonado en tales contextos relacionales. Partiremos, a tal efecto, de las dos dimensiones relacionales presentes en la familia de origen que describíamos en el capítulo 1 (pág. 25), a saber, la conyugalidad y la parentalidad, y de sus más importantes combinaciones, que recoge el gráfico de la página siguiente.

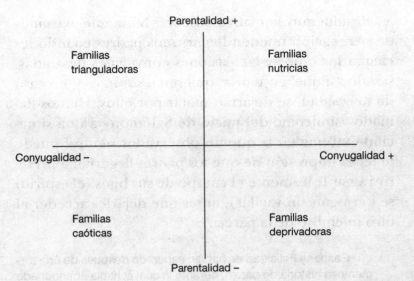

GRÁFICO 1

La triangulación de los hijos

Entendemos por triangular a los hijos hacerlos partícipes en los juegos relacionales disfuncionales de sus padres. O, dicho de otro modo, implicarlos en las tentativas de resolución de los conflictos conyugales paternos. Ello puede ocurrir con relativa facilidad cuando unos padres que, en principio, se interesan por el bienestar y la salud de sus hijos, se dejan arrastrar en el trato con ellos por las tormentas que desencadena su mala relación de pareja.

En la imperiosa necesidad que experimentan de «ganar» su lucha conyugal, la búsqueda de aliados se convierte en una tarea preferente. Y los hijos, qué duda cabe, son candidatos privilegiados a convertirse en aliados, aun cuando paguen un fuerte tributo en forma de conflicto de lealtades, que puede llegar a hipotecar seriamente su salud mental.

Resulta muy llamativo observar hasta qué extremos de obcecación pueden llegar unos padres cuando les ciegan los odios y las pasiones conyugales desatadas, siendo así que, en teoría, quieren a sus hijos y, en caso de necesidad, se dejarían matar por ellos. Hemos llamado «síndrome del juicio de Salomón» a una situación extrema en la que un observador neutral puede tener la impresión de que los padres llegarían a preferir rasgar físicamente el cuerpo de sus hijos (el espíritu se lo rasgan sin vacilar), antes que dejarles acceder al otro miembro de la pareja.

> Gaspar y Felicidad se habían separado después de una tormentosa historia de pareja, durante la cual él había abandonado varias veces el domicilio familiar a raíz de intensas crisis conyugales.
>
> Gaspar era un hombre extrovertido y ansioso, que tartamudeaba un poco cuando se angustiaba y que, si se ponía muy nervioso, tenía dificultades para controlar sus impulsos. Felicidad, en cambio, era una mujer muy controlada, asertiva pero fría en la expresión de sus emociones. Tenían dos hijos, Ana y Román, de 11 y 9 años en el momento de la separación, que habían asistido aterrorizados a las sucesivas crisis conyugales, seguidas siempre de la marcha del padre. La última desaparición de Gaspar duró varios meses porque, hundido en la depresión, no tuvo fuerzas para retomar el contacto con su familia hasta que una terapia le ayudó a mejorar. Y entonces anunció que la separación era definitiva y que deseaba mantener contacto con los chicos. Éstos se mostraron reticentes a ver a su padre, inducidos por una herida Felicidad, que desempeñaba un papel ambiguo: ella no se oponía explícitamente a que sus hijos vieran a Gaspar, pero respetaba su decisión de no hacerlo e, implícitamente, la legitimaba y estimulaba descalificándolo ferozmente.

Es una situación que se repite lastimosamente y que, incluso, ha recibido el nombre de «síndrome de alienación parental». Los niños, partiendo de una situación en la que quieren y necesitan a sus dos progenitores, comprueban que uno de ellos «se va y los abandona», mientras que el otro se queda y les garantiza los cuidados necesarios. Interpretan, ayudados por el segundo, que el primero es inconsistente y que no representa una opción segura. Además, intuyen que, si no lo rechazan, ellos serán rechazados por el progenitor que se quedó, perdiendo toda seguridad. En consecuencia, adoptan una actitud de «más papistas que el Papa», permitiendo, con su radical oposición al progenitor ausente, que el progenitor presente salve la cara. El papel de éste, no obstante, sigue siendo muy importante, instigando el turbio juego desde la sombra.

Gaspar denunció judicialmente la situación y obtuvo la autorización legal para ver a los niños, pero perdió los nervios varias veces con Felicidad y con la familia de ésta, llegando a amenazar con agredirlos. Felicidad consiguió, así, que las entrevistas se realizaran en casa de sus padres y en presencia de un vigilante privado. Gaspar perdió la oportunidad de recuperar el afecto de sus hijos, desperdiciando las reuniones con ellos en ácidas diatribas contra su madre y advertencias de que no se dejaran manipular por ella, hasta que los niños anunciaron que no querían ver a su padre nunca más. De nada le valía a éste tener la ley de su parte, puesto que no hay ley que pueda obligar a unos menores en situación de riesgo a hacer algo contra su voluntad. Los chicos aprovecharon las escasas ocasiones en que hablaron con Gaspar para comunicarle su odio y su determinación de ignorarlos a él y a todos los jueces y terapeutas que pretendieran presionarlos.

Y, mientras Gaspar se debatía en la impotencia, incapaz de renunciar a sus medidas de fuerza y de cumplir de forma coherente con sus deberes económicos (se gastaba en abogados el dinero que debería hacerles llegar a sus hijos), Felicidad movió ficha una vez más. A la vez que solicitaba el divorcio, pidió, apoyada por los niños, que le retiraran a Gaspar la patria potestad, alegando que la presencia del padre en el escenario familiar era negativa para la salud de los chicos.

En el pulso feroz entre dos progenitores dispuestos a hacerse morder el polvo mutuamente, los hijos se pueden convertir, como en este caso, en el arma más letal utilizable. Y de nada vale que el sentido común y los jueces digan que es mejor que los hijos tengan relación con ambos. No sólo se urden planes como despojar de la patria potestad a padres como Gaspar, torpes y débiles, pero sinceramente interesados por sus hijos, sino que se puede llegar a calumniarlos de forma semiconsciente, sugiriendo horrores tales como unos inexistentes abusos sexuales. La flaca memoria del niño sometido a tales presiones inventa sin gran esfuerzo una sombra de sospecha, que es el gran objetivo de la calumnia.

La triangulación de los hijos puede revestir formas menos dramáticas, pero no por ello menos nocivas para su salud mental. Como, por ejemplo, lo que llamamos la «triangulación manipulatoria», en la que los hijos son instigados a aliarse con uno de los progenitores, o con los dos simultáneamente, mediante propuestas seductoras o amenazadoras de las más variadas formas. «¡Vente de mi parte, yo te ofrezco más!» «¡Ya te guardarás de irte con ése/a; si lo haces, atente a las consecuencias!» No son frases que se suelan pronunciar de modo tan explícito, pero subyacen a mensajes que pueden ser emitidos con un simple suspiro o una subida de cejas.

Los niños pueden defenderse de tales manejos, sobre todo si tienen la suerte de disponer de otras figuras parentales en la familia extensa o de una red social rica y nutricia. Los hermanos, sin ir más lejos, pueden cumplir esas funciones protectoras, cuando la fratría es un espacio relacional relevante y funciona adecuadamente. O los abuelos, tíos, primos y amigos, si su efecto benéfico alcanza a contrarrestar la intensidad de las propuestas trianguladoras.

Pero, si no es así, lo más probable es que el niño triangulado se vea sometido a unos conflictos similares a los que viven los perros con los que se trabaja en las investigaciones sobre *neurosis experimentales*: conflictos de *atracción/atracción*, de *atracción/evitación* o de *evitación/evitación*. Estímulos positivos (como una galletita o un hueso) o negativos (una corriente eléctrica o un chorro de aire en el hocico), suministrados de forma asociada, inducen en el animalito un estado de ansiedad, que puede traducirse en una paralización, en la emisión incontinente de pipí o en alteraciones digestivas. Ahora imaginemos la complejidad psicológica del ser humano, infinitamente mayor, y podremos comprender la naturaleza de los sufrimientos que situaciones de esta índole producen en los niños.

La *triangulación manipulatoria* es también generadora de ansiedad, comprensible fácilmente como el tributo pagado por un conflicto de lealtades para con figuras altamente relevantes. ¿Me inclino por mámá, arriesgándome a perder una relación fluida con papá? ¿Cedo a las presiones de uno de los dos para asegurarme su relación? ¿Cómo afronto, entonces, las amenazas del otro? La *ansiedad neurótica*, producto de tales inseguridades, puede manifestarse sola, invadiendo la personalidad del niño y futuro adulto de forma más o menos invasiva, o bien combinarse con otros ingredientes, dando lugar a diversas modalidades de *síntomas neuróticos*. Por ejemplo, es clásica la asociación de los *síntomas histéricos* con pautas relacionales basadas en la seducción.

Victoria, de 15 años, acudió a consulta acompañada de su madre, Antonia, recién separada de su marido. La chica era dominante e irascible y, cuando se la contrariaba, se excitaba hasta el punto de entrar en un estado de agitación que solía concluir con una crisis convulsiva y pérdida de conciencia. Tales incidentes, frecuentes sobre todo tras alguna discusión con la madre, se habían producido también después de mantener peleas con algunas compañeras de colegio. No, en cambio, con compañeros, con los que decía llevarse muy bien.

Victoria era una chica menuda y vivaracha, vestida de forma provocativa y propensa a relacionarse con afectación y teatralidad. En algún servicio de urgencias le habían diagnosticado un *trastorno de conversión* y el médico de cabecera les había dicho llanamente que la chica tenía *ataques histéricos*.

Entre los recuerdos de Victoria referidos a su vida familiar, destacaba, desde siempre, una mala relación con su madre, a la que achacaba una condición controladora que, decía, la agobiaba. Y era muy remisa a hablar del padre, por quien afirmaba sentir repugnancia. Cuando se hubo establecido una relación de confianza, se mostró más explícita y pudo verbalizar que sentía que su padre había jugado con ella. «Su forma de mirarme, de tocarme y hasta de besarme, eran babosas.» Y no es que hubiera habido abusos sexuales, pero la manera en que el padre se relacionaba con ella era más propia de una pareja.

Seducir a la hija con mayor o menor sutileza para indisponerla contra la madre era la modalidad de triangulación manipulatoria que había construido el padre de Victoria, en colaboración con su esposa, que había entrado en el juego al percibir a la niña más como a una rival que como a una criatura necesitada de protección.

Pero los ingredientes añadidos a la ansiedad resultante de la triangulación pueden ser muy diversos, y consistir, por ejemplo, en una demanda de asociación por parte de uno de los progenitores y una reacción de retirada y rechazo por parte del otro. Los juegos relacionales fundamentales se ven, de esta forma, asociados a la pérdida, que genera desazón y tristeza. Es lo que ocurre en la llamada *distimia* o, también, *depresión neurótica*.

> Los recuerdos de infancia de Eva eran de un padre lejano y hostil, muy cariñoso con su hermana Olga, pero siempre agresivo e injusto con ella. Con su madre, en cambio, se había llevado maravillosamente, mientras que tenía que reconocer que Olga no tanto. Por eso Eva había sufrido mucho cuando tuvo un primer novio y comprobó que su madre no lo quería. Ella rompió con el muchacho, pero se puso fatal de los nervios y el psiquiatra le tuvo que dar tratamiento. La secuencia se había repetido varias veces, hasta que por fin ella decidió que no iba a pelearse con un hombre sólo porque a su madre no le gustara, y se casó con Alberto. Por supuesto, madre y marido nunca se llevaron bien, y sus peleas fueron un constante motivo de disgustos... y de crisis para Eva. Ansiedad y depresión se superponían en pautas recursivas, trasladando a la esfera conyugal la disarmonía que se había gestado en la familia de origen.

La vida del distímico se suele ver marcada por estos juegos triangulares, en los que prima un elevado sentido de la política. Alianzas, coaliciones, rechazos y relaciones privilegiadas están a la orden del día, tiñendo la atmósfera familiar de un clima tenso y vigilante. Los síntomas, como en todos los trastornos neuróticos, desempeñan un papel que se puede traducir en clave de poder: si las fuerzas están equilibradas y, en un momento dado, la balanza se inclina de un lado, quizá los síntomas tiendan a restaurar el equilibrio precedente. Es lo que se llama *simetría inestable*.

> Antonio y Josefa, a sus 60 y 58 años, conocían bien una vida de pareja plagada de conflictos resueltos a medias, en un contexto de continuas intromisiones de las familias de origen. Josefa siempre había estado «delicada de los nervios», pero ahora, con los hijos ya mayores y fuera de casa y Antonio, por el con-

trario, jubilado y con muchas horas sin nada que hacer, empezó
a encontrarse francamente mal. La angustia y la tristeza la rete-
nían frecuentemente en la cama y descuidaba las tareas domésticas para desesperación de su marido. Antonio empezó a tratar-
la como a una inútil y pasó él mismo a administrar la economía
familiar, lo cual humillaba e irritaba a su esposa. Ella, sintiéndose
tan mal, no estaba de humor para el sexo, lo cual aumentaba la
convicción de Antonio de que su mujer no valía para nada. Estaban, en definitiva, enganchados en un juego de frustración mutua, del que empezaban a participar los hijos, porque el mayor
comprendía mejor los sufrimientos de su madre, mientras que la
segunda se identificaba más con la amargura del padre.

Josefa, diagnosticada como distímica, ilustra muy bien
el juego relacional que se establece, en el contexto de
pareja, en torno a este tipo de síntomas. Las actitudes
aprendidas en la familia de origen encuentran un nuevo escenario para desarrollarse cuando la relación conyugal crea un marco simétrico y competitivo. Las pérdi-
das no faltan, en este caso la marcha de los hijos y el
desembarco del marido jubilado, con lo que se crean
las condiciones adecuadas para la irrupción de los síntomas, a la vez que se plantea un pulso por ver quién
dice la última palabra en el que casi todo vale y, desde
luego, en el que se sacrifican el placer, la calidad de
vida y la salud. Además, los hijos encuentran un terreno
propicio para participar en nuevas triangulaciones, facilitándose el establecimiento de una vía de transmisión
relacional de los síntomas distímicos, instalados en la
cultura del maltrato psicológico triangulador.

La triangulación manipulatoria puede generar también violencia física en relación con el hijo triangulado,
cuando uno de los progenitores lo percibe como aliado
del otro y acaba descargando sobre él, parcial o totalmente, los golpes que le inspira su cónyuge.

Bernardo era un hombre de procedencia humilde, casado con Celia, una chica «de buena familia» a la que había conocido en la universidad. Ambos se habían enamorado intensamente, pero los problemas empezaron cuando tuvieron un hijo y debieron renegociar las condiciones de gestión familiar y doméstica, incluyendo la educación del pequeño y los contactos con las dos familias de origen. Los gritos y las gesticulaciones de Bernardo asustaban al niño, que se aferraba a su madre para protegerse. Celia, a su vez, lo utilizaba como escudo frente al marido, al cual le había comunicado con gran claridad que no estaba dispuesta a tolerar agresiones por su parte contra ella. Sin embargo, Bernardo desplazaba hacia su hijo su rabia, acusándolo de «estar convirtiéndose en un niño pijo y maleducado» y pretendiendo educarlo «con el único lenguaje que entiende...». Desgraciadamente, al niño no le alcanzaba la protección de la madre, que no se mostraba eficaz en el bloqueo de las agresiones hacia él.

A la violencia física se añade el trasfondo del maltrato psicológico, en este caso, y, por lo general, del tipo triangulación manipulatoria.

Pero las triangulaciones de los hijos pueden revestir formas más complejas. Por ejemplo, en el caso de la *triangulación desconfirmadora*. Imaginemos una pareja mal avenida pero llena de pasión, de aquellas que encarnan la copla: «Ni contigo ni sin ti tienen mis males remedio. Contigo porque me matas y sin ti porque me muero». El amor y el odio están muy cerca, a veces, y en estas parejas se engarzan en una relación de malsana dependencia mutua. Cada miembro siente la necesidad de tener al otro cerca y bajo control, en un pulso eterno por ganarle la partida, aun sabiendo que la partida no tendrá ganador ni perdedor. En una situación así, uno de los dos puede proponerle al hijo que sea su aliado para ganarle al otro, ofreciéndole implícitamente una relación privilegiada y exclusiva. Si el hijo se siente, ya de

entrada, inseguro, poca cosa o diferente negativamente, será más fácil que acepte la propuesta, lanzándose a
una asociación condenada al fracaso. Porque, una vez
utilizado, su alianza será ignorada frente a la fuerza de
la presencia del otro. Y esa ignorancia, esa sensación de
haber sido instrumentalizado como un tonto útil en un
juego mucho más importante que le trasciende totalmente, puede ser muy desestabilizadora para la salud
mental del hijo. Se trata de un fenómeno al que llamamos *desconfirmación*, y puede constituir una circunstancia que conduzca a la *psicosis*.

En efecto, la situación puede ser procesada por el
niño como un atentado frontal a su identidad: «Si las figuras más importantes de mi vida me ignoran como
persona, puesto que me utilizan como arma pero se ol-
vidan de mí y de mis necesidades, debe de ser que no
existo, que no soy nadie». Y la identidad se desmorona
ante la falta de reconocimiento. Pero como no se puede
vivir sintiéndose inexistente, el individuo puede cons-
truirse una identidad alternativa con los trozos de la que
se ha destruido: «¿Cómo que no soy nadie? ¡Soy Napo-
león!». El delirio psicótico puede ser entendido, de esta
manera, como una reacción autoafirmadora frente a la
insoportable vivencia de la desconfirmación.

Cuando Carolina nació, sus padres, Concha y Mateo, llevaban ya cinco años de tormentosa y tórrida relación. La pareja se
había casado cuando Concha estaba encinta de José Luis, tras
un año de noviazgo, y ella nunca le perdonó a Mateo que no la
defendiera públicamente cuando su familia la humilló por ello. Había entre ambos mucha pasión, pero también un rencor que les
conducía a continuos enfrentamientos. En ese contexto, el nacimiento de José Luis fue celebrado por su madre como la llegada
de un aliado, que es lo que el chico fue toda su vida: un defen-
sor de Concha frente al autoritarismo de Mateo. Según ciertas le-

yes implícitas de la triangulación, a Carolina le habría correspondido equilibrar el juego siendo la aliada de su padre, pero en realidad nunca ocurrió así. Según el testimonio de Mateo, la niña había mostrado siempre un rechazo visceral a sus tentativas de acercamiento, ignorando gélidamente sus caricias y mostrándose refractaria y muda a sus palabras cariñosas. «Era como si estuviera rodeada de una cerca electrificada y, a veces, al arrimarme a ella sentía como… no sé, una especie de presencia diabólica…»

La historia que se consensuó con Carolina y su familia en el curso de una terapia fue que la madre había hecho todo lo posible por impedir el acceso del padre a la hija, so pretexto de que lo veía como un potencial abusador sexual, aunque, satisfecha ya con su alianza con José Luis, no había prestado gran atención a las necesidades relacionales de la niña. Había actuado, pues, con ella como el perro del hortelano, que ni come ni deja comer. Mientras José Luis había gozado de un estatus de pleno reconocimiento como interlocutor, tanto por la madre como por el padre, Carolina había languidecido en la mayor soledad. Ni la actitud de Concha había sido protectora, puesto que, si de verdad percibía a Mateo como un posible abusador, debería haber roto el juego de forma más clara, ni el padre era del todo inocente, puesto que había aceptado la marginación de Carolina para no poner en peligro la continuidad de dicho juego.

Triangulada desconfirmadoramente, Carolina había desarrollado una psicosis al llegar a la adolescencia, asegurando en su delirio que ella no era sino la encarnación del diablo.

La psicosis es un trastorno gravísimo y sumamente complejo, en el que no cabe descartar la existencia de factores biológicos predisponentes. Pero también existe evidencia de que factores psicológicos y relacionales como los descritos desempeñan un papel importante en su desencadenamiento y desarrollo. La modalidad de maltrato psicológico constituido por la triangulación desconfirmadora es especialmente maligna, dada la condición severamente destructiva de la psicosis.

Hay infinitas variantes de triangulación, pero otra modalidad de importantes consecuencias para la salud mental de los hijos implicados es la *triangulación equívoca*. En ella, dos progenitores muy distanciados relacional y afectivamente interpretan de forma simultánea que es «el otro» el que se ocupa de las necesidades relacionales y afectivas de un hijo y, en consecuencia, se desentienden. El resultado es que el hijo queda desatendido, en una especie de tierra de nadie emocional.

A sus 22 años, Sabina es una chica hosca y tristona, que colecciona fracasos en cuantas iniciativas toma. A pesar de haber sido una buena estudiante, ha abandonado su carrera de maestra desperdiciando una beca para una estancia en el extranjero. Cambia constantemente de pareja, entusiasmándose por chicos a los que pronto consigue espantar con sus exigencias. Deprimida con frecuencia, ha protagonizado varias tentativas de suicidio en los últimos meses. Sus padres están desesperados, pero se muestran descoordinados y contradictorios. El padre es un hombre vehemente y muy hablador, que expresa su decepción en términos muy duros. La madre, igualmente crítica en el fondo, es fría y de pocas palabras. Tiene más acceso a Sabina pero tampoco abriga esperanzas respecto al futuro de su hija.

A Sabina se le ha diagnosticado un trastorno límite de personalidad, que cursa con una dificultad importante para establecer vínculos sociales duraderos y significativos, junto a una serie de síntomas que incluyen impulsividad y agresividad, depresión con tendencias suicidas, ansiedad y episodios de descompensación psicótica.

Los padres de Sabina, tras un noviazgo convencional al estilo antiguo, tuvieron una experiencia muy frustrante la noche de bodas que marcó su futuro como pareja: torpeza e inexperiencia sexual por parte de ambos, eyaculación precoz y anorgasmia. Quedaron resentidos y nunca se recuperaron. Eran muy diferentes de carácter y su distancia se fue haciendo siempre mayor. Su única hija, Sabina, creció entre una madre cercana pero fría e inexpresiva y un padre intenso pero hostil y lejano. Los dos confiaban en que las cualidades positivas del otro bastarían para cubrir las necesidades afectivas de la niña, pero no fue así, porque la frialdad de la madre y la hostilidad del padre dominaron las pautas educativas.

La triangulación equívoca, otra modalidad de maltrato psicológico que ilustra la familia de Sabina, se encuentra entre las condiciones relacionales que favorecen el desarrollo de las pautas de comportamiento socialmente inadaptado que reciben el nombre de trastorno límite de personalidad.

Los abusos sexuales pueden golpear a una familia de muy variadas maneras y desde estructuras relacionales diversas, como podremos ver en las páginas que siguen. Cuando ello ocurre en familias estructuradas en torno al núcleo disfuncional del abuso, la organización específica desde la que se produce es la *triangulación complementaria*. Se trata, como su nombre indica, de una variante de triangulación que, en contraste con las ya descritas, se basa en una relación complementaria, y no simétrica, de la pareja progenitora de la niña o el niño que es víctima.

La relación conyugal simétrica es, en efecto, difícilmente compatible con el abuso de un hijo por parte de uno de los miembros de la pareja. No es imaginable que el otro, enzarzado en una lucha por el poder, lo consienta. En cambio, en la desigualdad de la relación complementaria sí que puede anidar la complicidad necesaria para que el abuso se produzca. Se trata de familias rígidas, con una estructura jerárquica bastante marcada, en las que el progenitor abusador (generalmente el padre) suele ocupar la posición de superioridad. En tales casos, la madre, desde su posición de inferioridad, tolera, consiente o ignora los abusos, ya sea porque se siente demasiado insegura para darse crédito a sí misma cuando intuye lo que puede estar pasando, ya sea porque depende masivamente del abusador o incluso porque no se siente digna de él y pretende retenerlo permitiéndole el acceso a la niña.

Son situaciones de muy distinta gravedad y pronóstico, aunque con el denominador común de esta triangulación complementaria dominada por el abusador. Pero también puede ocurrir que éste ocupe la posición de inferioridad y que sea la esposa la que domine el juego, minimizando o negando con mirada complaciente el abuso que sufre la hija. Sería como si, puestas a elegir a alguien a quien proteger, estas supermadres inadecuadas se decantaran por cuidar del marido-hijo, en detrimento de las necesidades de protección de la hija verdadera.

> Alicia fue sometida por su padre, Manuel, a graves abusos sexuales entre los 6 y los 16 años, ante la mirada refractaria de la madre, Luisa, que no podía permitirse percibir semejante tropelía.
> La pareja se había constituido cuando ambos tenían 17 años y, para Luisa, criada sin padres en un internado, Manuel era un dios sabio y todopoderoso a quien no podía cuestionar. Cuando, a raíz de sus dos primeros partos, su apetencia sexual disminuyó, ella cerró los ojos a los jugueteos de Manuel con Alicia y quiso ver en ellos un entretenimiento inocente.

No es ésta la ocasión de examinar en detalle el abuso sexual, que es una modalidad de maltrato físico y que, por tanto, ha sido tratado en otro lugar (Linares, 2002). Baste con destacar que, de nuevo aquí, subyace una pauta de maltrato psicológico, consistente en lo que hemos llamado la triangulación complementaria: la hija (puede ser el hijo, pero es mucho menos frecuente) es convertida en una compañera sexual del padre, aprovechando las diferentes posiciones de los cónyuges en cuanto al ejercicio del poder.

En definitiva, se trata de triangulaciones varias, que pueden corresponderse con distintas modalidades de sufrimiento de los hijos. Pero, como hemos adelantado en el gráfico de la pág. 55, éstos pueden ser maltratados psicológicamente en la familia de origen de otras maneras.

La deprivación de los hijos

A veces los padres pueden funcionar bien como pareja, pero fracasar en el ejercicio de las funciones parentales. Se trata de una situación que pasa bastante desapercibida ante terceros, porque suele transcurrir en silencio, tras la respetable fachada del domicilio familiar. Pero no por ello puede ser menos lesiva para el bienestar y la salud mental de los hijos.

Y no es que los padres sean pérfidos o desnaturalizados, sino, simplemente, que los avatares de su ciclo vital han interferido en su parentalidad.

Roque y Marcela eran una pareja feliz cuando se casaron y, un año más tarde, tuvieron su primer hijo. Pero, a partir de ahí, empezaron a torcérseles las cosas. Murió la madre de Marcela, que era un apoyo muy importante para ellos, ambos perdieron el trabajo, lo que los sumió en una profunda crisis económica, y, para colmo, tuvieron que cambiar de domicilio, trasladándose a vivir a un barrio pobre donde carecían de red social. El mundo parecía desmoronárseles, pero a pesar de ello la relación de pareja capeó el temporal basada en una sólida complementariedad que, a nivel conyugal, funcionaba razonablemente bien. Pero, desgraciadamente, un embarazo inoportuno y no deseado vino a acabar de desbordarlos. ¡Y, encima, nacieron dos niñas gemelas! Una de ellas, Gabriela, era fuerte y sana, mientras que la otra, Guadalupe, resultó débil y enfermiza.

En el derrumbe de la parentalidad que vivieron, Roque y Marcela encontraron una manera de adaptarse a la adversidad. Desde muy pronto, cuando las niñas contaban apenas unos meses (¡parece mentira lo precoces que pueden ser las atribuciones de roles y significados a los niños!), los padres empezaron a acostumbrarlas a que Gabriela cuidara de Guadalupe, de forma que el sistema «gemelas» se autorregulara y requiriera el menor esfuerzo posible por parte de ellos. Esto generó muy pronto dos pautas relacionales bien diferenciadas: a Gabriela se le exigía una continua atención y un permanente cuidado de su hermana, mientras que a Guadalupe se le daba todo lo que pedía... fundamentalmente para que no molestara.

Se trata de dos pautas relacionales típicas de la modalidad de maltrato psicológico que es la *deprivación*. Una es la que podríamos llamar de *hiperexigencia y falta de valoración*, en la que se pide al niño que realice unos esfuerzos ímprobos, centrados en unos objetivos imposibles de alcanzar, sin que se valore nunca adecuadamente su empeño por llegar a ellos. La otra es la de *hiperprotección y rechazo*, en la que el niño obtiene fácilmente lo que pide, de forma casi automática y para neutralizarlo como interlocutor, más que en respuesta a sus necesidades personales.

Los roles de Gabriela y Guadalupe en su familia ilustraban a las mil maravillas las dos pautas relacionales descritas, y ello a pesar de tener unos padres comunes y desde la común condición de gemelas. En efecto, por el hecho de ser fuerte y sana, Gabriela tuvo que afrontar la misión imposible que era cuidar exitosamente de su hermana, sin recibir ninguna valoración como respuesta a sus desesperados intentos por dar la talla, y sí, en cambio, una exigencia siempre renovada de más esfuerzos. Por su parte, Guadalupe se fue convirtiendo en una niña mimada, condenada al fracaso en cuanto proyecto relacional emprendía: abandono de los estudios, promiscuidad sexual y abuso de drogas. A los pocos años, a Guadalupe se le diagnosticó un trastorno límite de personalidad, mientras que Gabriela desarrollaría, algo más tarde, una depresión mayor.

La *depresión mayor* hunde sus raíces relacionales en ese contexto de alta exigencia y falta de valoración que caracterizó la infancia de Gabriela. Troquelada de esa manera, la personalidad del depresivo incorpora una gran rigidez, que aúna una tendencia a dar el máximo de sí mismo en cualquier situación social, con altos sentimientos de culpa por fracasar en el intento, así como una hostilidad larvada contra un mundo que ha sido cruelmente injusto al trazar objetivos inalcanzables. El suicidio, cuando acontece, es el supremo acto depresivo, puesto que castiga con la muerte al que lo realiza, por no haber sido capaz de responder a lo que se esperaba de él o de ella, y castiga con la culpa a los supervivientes, responsables del injusto trato que se le ha dispensado.

El depresivo, sometido a esta modalidad de maltrato psicológico, crece pendiente de las elevadas expectativas que se depositan en él, por lo que se convierte en una persona hipersociabilizada, en el sentido de que siempre está atenta al qué dirán y busca quedar bien asumiendo responsabilidades y no rebelándose ni expresando emociones negativas. Todo ello, claro está, mientras goza de buena salud, porque cuando entra en crisis, se abandona a una pendiente de inhibición y fracaso… a ser posible con la cobertura de una enfermedad contra la que nada se puede hacer.

Pero el llamado *trastorno límite de personalidad,* que describíamos a propósito de la triangulación equívoca,

también puede tener una de sus raíces en la deprivación, aunque en contextos de hiperprotección y rechazo como el que le tocó vivir a Guadalupe. Se compren-
de que niños sometidos a pautas relacionales en las que
no se les pide el menor esfuerzo, pero se les hace sentir
rechazo y desprecio porque no son valorados como personas, añadan al fondo de descalificación que comparten con los depresivos las consecuencias de un fracaso
profundo de la sociabilización. De ahí su incapacidad
para establecer vínculos sociales estables y significativos,
lo que les conduce a la inadaptación y a la marginación.

Convertidas en trastornos psicopatológicos, estas
pautas de conducta disfuncional afectan sobre todo a
los adultos, aunque tienen sus cimientos relacionales
en la infancia, en el trato recibido en la familia de origen. Pero existen situaciones de maltrato psicológico
deprivador que se manifiestan ya en edades muy precoces de la vida. Es lo que ocurre, por ejemplo, con algunas *adopciones fracasadas.*

La adopción es un proceso de construcción social
de vínculos parento-filiales independiente de cualquier
sustrato biológico. Es, pues, un fenómeno puramente
relacional y humano, del que podemos estar orgullosos
como especie. Cuando funciona bien, salva vidas y permite reinserciones sociales maravillosas. Pero también
posee un riesgo significativo de fracaso. Si la parentalidad biológica es vulnerable y puede deteriorarse hasta
extremos de gran dureza, la parentalidad adoptiva es
aún más frágil, resultando muy sensible a ciertos fan-
tasmas y profecías autocumplidoras, que pueden causar
verdaderos estragos. Por ejemplo: «Este niño resulta
turbulento e impulsivo. Parece que tiene reacciones de
gran agresividad. ¿Quién sería su padre? ¡Cualquiera

sabe! Probablemente era un delincuente. ¿Y si el niño sale a él?». O bien, si se trata de una niña: «Esta niña se muestra indolente e irresponsable. Además, manifiesta actitudes muy erotizadas. Seguro que su madre no era trigo limpio, y ella podría parecérsele...». Cuando se trata a un niño con temor a que se comporte de una determinada manera, aumentan las posibilidades de que lo acabe haciendo, y en tales casos el vínculo parento-filial se termina deteriorando.

> Los padres de Roger, un chico de 15 años que había sido adoptado al nacer, se declaraban incapaces de destacar en él una sola cualidad positiva. «Siempre fue así, doctor: de mala condición. Tenía usted que ver cómo escupía el chupete y con qué rabia se destapaba en la cuna. A los tres meses ya era un delincuente.»

Y no sorprende que, con semejantes previsiones, la conducta del niño se parezca a la descripción que se hace de él, con lo que se cierra el círculo vicioso del maltrato psicológico.

Los *suicidios infantiles* también aportan un marco adecuado para la reflexión sobre los sutiles mecanismos de la deprivación. Casi todas las noticias que trascienden en la prensa sobre niños que se suicidan comparten un componente de misterio e incomprensión.

> «Nadie entiende lo que ha ocurrido. El niño era normal y la familia también. Nunca hubo altercados ni problemas que trascendieran en su entorno social. En la escuela lo consideraban un chico inteligente y aplicado. Y, sin embargo, el otro día, a raíz de un contratiempo sin importancia en las calificaciones, algo que le puede ocurrir a cualquier niño de su edad, se tiró por la ventana de su cuarto, un quinto piso.»

El misterio se desvela en las raras ocasiones en que se alcanza a penetrar en la atmósfera relacional familiar, constatándose, por ejemplo, que el muchacho estaba sometido a fortísimas presiones sobre su identidad personal:

«En esta familia es inconcebible no ser un hombre de provecho, sacando siempre las mejores notas para, el día de mañana, abrirse paso exitosamente en la vida. Lo contrario es una vergüenza tan grande para todos que... más vale no pensar siquiera en tal posibilidad.»

Y el niño no ve otra salida que la muerte si entiende que nunca serán valorados sus esfuerzos, parcialmente fallidos, por responder a la fría desmesura que se espera de él.

De nuevo aquí tenemos que insistir en que este maltrato psicológico deprivador, por duro que pueda ser, no emana de una supuesta maldad o condición monstruosa de los padres, sino que, por el contrario, éstos suelen ser gente bienintencionada, convencida de estar haciendo lo mejor por sus hijos. Es el mismo sentimiento de buena conciencia que experimentan cuando *fracasan en la protección* de éstos frente a agresiones procedentes del exterior de la familia.

Porque no es raro que las familias deprivadoras fracasen también en el ejercicio de las *funciones protectoras*, ya que los padres están más pendientes de exigir responsabilidades a los hijos que de ejercerlas ellos mismos.

Cuando, en el curso de una terapia familiar, Sandra reveló que había sido violada de niña por un pariente cercano, marido de una hermana del padre, la primera reacción de su madre y hermanos, presentes, fue de incredulidad.
Dos de las hermanas habían sido acosadas por el mismo tío, pero se habían librado por sus propios medios, sacándolo

de la cama a patadas. «Era un baboso, pero no se salió con la suya.» Oyéndolas, Sandra no pudo evitar echarse a llorar. «¿Lloras por nosotras?», le preguntaron. Tras un rato de sollozos, Sandra pudo contestarles: «No, lloro porque yo no logré librarme de él».

Aunque ahora, en la madurez de sus 30 años, era una mujer hermosa, Sandra había sido, desde su nacimiento, el patito feo de la familia. Desubicada entre dos grupos de hermanos, los mayores y los pequeños, había crecido como una niña solitaria, objeto frecuente de burlas por su condición de patosa y desmañada. «Cuando me la trajeron recién nacida no pude evitar exclamar: ¡qué fea!», dijo la madre en plena sesión, como comentario a la exposición de las posteriores desdichas de Sandra. Luego se hizo explícito que la niña se había quejado del acoso del tío, sin que nadie reaccionara protegiéndola. Al contrario, la madre la obligaba a acompañarlo al campo... a coger caracoles. «Teníamos muchos problemas y yo no podía estar pendiente de todo, y menos con lo quejumbrosa que era Sandra.»

Cuando una familia deprivadora desprotege, no es raro que algún niño sufra un ataque desde su entorno inmediato, representado por un familiar de segundo o tercer grado o por un amigo de los padres, o que se vea sometido a alguna otra modalidad de agresión sistemática. Y lo más dañino no son el ataque o la agresión en sí, sino la incapacidad de la familia de cumplir con sus funciones protectoras. Éstas podrían fallar por accidente, pero aun entonces una familia nutricia reaccionará adecuadamente, consolando y reparando a la víctima, mientras que una familia deprivadora no lo hará. En eso consiste la *violencia pasiva*, triste corolario de la pauta de maltrato psicológico que es la deprivación. El relato de Rosa, paciente afecta de una grave depresión, es tremendamente ilustrativo.

Yo fui violada a los 13 años, en un callejón oscuro, una noche cuando regresaba a casa del colegio. Cuando mi madre me abrió la puerta, me eché a llorar, pero su primera reacción fue mirarme severamente y preguntarme con tono hosco cómo me había ensuciado tanto la ropa. Cuando pude controlarme un poco le dije que me habían violado, pero ella no se lo creyó y me dijo que vaya pretexto le ponía para llegar a casa tarde y sucia. Luego, enseguida, debió de comprender que una mentira así, en mi estado, era absurda, y se puso a regañarme por haber venido por unas calles que me tenían prohibidas. Y, a continuación, me dijo que tenía que lavarme. Ella misma me llevó al cuarto de baño y me lavó... pero habría sido mejor que no lo hubiera hecho. Nunca olvidaré su cara de asco y de reprobación.

No hay duda de que la violación constituyó una terrible experiencia traumática para Rosa, pero la naturaleza humana incluye una infinita capacidad de superar circunstancias traumáticas si se cuenta con una adecuada nutrición relacional. Lo que terminó convirtiendo a Rosa en una enferma depresiva fue vivir en una familia deprivadora, incapaz de acompañar con ternura y consuelo una elemental maniobra higiénica como un lavado íntimo a una niña.

La caotización de los hijos

Cuando una pareja con hijos *fracasa simultáneamente tanto en el plano conyugal como en el parental*, es decir, cuando, a la vez que se instalan en el conflicto y la disarmonía, son incapaces de atender las necesidades relacionales (y, a veces, también las materiales) de los niños, se crea sobre éstos una situación de maltrato psicológico que puede ser definida por la idea de *caos*.

Caos porque las ingentes carencias relacionales que implica esa combinación hacen posible cualquier consecuencia desastrosa, tanto en forma de maltrato físico como de trastorno psicopatológico, sobre quienes la padecen. Pero caos también porque la gravedad de las condiciones y la imposibilidad de su camuflaje permiten el desarrollo paradójico de *mecanismos compensatorios*, capaces de generar procesos de resiliencia que los salven del desastre.

Las familias caotizantes pueden proceder de una *cultura del caos*, en la que se encuentran instaladas a lo largo de generaciones, o haber accedido recientemente a ella, por causa de *circunstancias traumáticas* especialmente desestabilizadoras. Y ambas cosas pueden ocurrir con independencia de las condiciones económicas, si bien lo más frecuente es que se desarrollen en contextos de *pobreza*. Dicho con otras palabras, aunque es posible que una familia bienestante se caotice, es más probable que sus medios económicos le permitan adquirir recursos relacionales (personal de servicio, colegios de calidad, figuras de apego alternativas) que actúen como mecanismos compensatorios, posibilidad que no suele estar al alcance de las familias necesitadas. Éstas, no obstante, siempre tienen acceso a las posibilidades nutricias que pueda brindar graciosamente el ecosistema y a las que generen ellas mismas, como señalábamos más arriba.

La madre de Loli había sido prostituta y, de niña, se crió en un ambiente de descuido y promiscuidad. La madre se desentendió de ella y el padre, separado y vuelto a emparejarse varias veces, apenas mantuvo un vínculo formal que no impidió que la infancia de Loli transcurriera de institución en institución. Cuando alcanzó la adolescencia empezó a relacionarse íntimamente con chicos, buscando un afecto que siempre se le escapaba, y recurriendo varias veces al aborto para solucionar los inevitables embarazos. Con Rafa estabilizó relativamente la relación, yendo a vivir la joven pareja con los padres de él, pero entonces surgió la violencia, en una convivencia cada vez más turbulenta.

Rafa y Loli son un buen ejemplo de familia instalada por generaciones en el caos, pero ése no es el caso de Manuel y Roberta, una familia ecuatoriana desestabilizada por una emigración problemática.

En Guayaquil, Manuel y Roberta gestionaban una pequeña empresa de transporte que les permitía vivir con desahogo. Pero tuvieron cuatro hijos, y la crisis del país les empujó a buscar en la emigración un futuro mejor para ellos. Con todo, la decisión fue dolorosa, porque dividió a la pareja: Manuel quería que se fueran, mientras que Roberta era partidaria de seguir intentando salir adelante en su tierra. Sin embargo, al final fue ella la que se adelantó con los niños, y el tiempo que estuvieron separados no hizo sino ahondar el foso entre los cónyuges.

Cuando Manuel se reunió con ellos, resultó que se había habituado a beber y, además, no le gustaba que Roberta trabajara y él no. En un breve plazo, ambos se encontraron en paro, dependiendo de las ayudas que recibían de una comunidad evangélica. Los servicios sociales detectaron irregularidades en la escolarización de los niños, así como indicios de que estaban siendo maltratados.

La principal característica relacional de las familias caóticas es la tendencia a la *desestructuración*, lo que implica una baja cohesión, un aflojamiento de los vínculos entre sus miembros y una relativización de la organización jerárquica. Y todo ello en medio de un naufragio de las funciones conyugales y parentales, no exento de contradicciones. Por ejemplo, es clásico que estas parejas muestren una intensa atracción sexual recíproca, que les conduzca a hacer el amor de forma espectacular, casi pública.

La trabajadora social se quejaba de que, en el curso de sus visitas al domicilio de Jorge y Carmen, no era raro que los encontrara «haciendo sus cosas» con la puerta abierta, los niños menores jugando en el comedor y los gritos de placer escandalizando al vecindario.

A falta de un amor conyugal sólido, el *sexo* se convierte en un sucedáneo del vínculo, al que se recurre de forma casi compulsiva en la búsqueda de una cierta autotranquilización. Y lo mismo ocurre con los hijos, que, aunque sean abandonados a su suerte en función de un vínculo parental deteriorado, representan simbólicamente unas raíces sociales, en el fondo inexistentes. Por eso las familias caóticas son tan *prolíficas*, para desesperación de los servicios sociales y contra la lógica elemental, que sugeriría concentrar los escasos recursos con que cuentan y no diluirlos en una extensa prole.

La desnutrición relacional puede revestir formas muy variadas, pero el común denominador que muestran las familias caóticas es el *fracaso de las funciones socializantes*. Instaladas en la marginalidad y, muy a menudo, en la discriminación, no sólo *no protegen* a los niños, sino que no les transmiten las normas necesarias para su adecuada adaptación social. Las familias deprivadoras pueden tener un éxito excesivo en la transmisión de *normas sociales* (y entonces facilitarán el desarrollo de *trastornos depresivos)* o fracasar en tal intento (y determinarán una vía para el desarrollo del *trastorno límite de personalidad*). Pero las familias caóticas no ejercen las funciones normativas porque, directamente, no se proponen hacerlo. Están, en cierto sentido, fuera del sistema social, y por eso son un caldo de cultivo ideal para el desarrollo de las *sociopatías*. En el campo de los servicios sociales se suele conocer a estas familias como *multiproblemáticas*.

La modalidad caotizante del maltrato psicológico se produce, pues, en un contexto desestructurado, poco normativo y escasamente protector, en el que pueden irrumpir también todas las variantes de maltrato físico.

El deterioro de las funciones protectoras puede facilitar que los niños sean objeto de violencia pasiva, es decir, de ataques depredadores procedentes del exterior. También puede haber violencia activamente generada en la propia familia, ya sea física (por ejemplo, un padre borracho que golpea indiscriminadamente a quien se le pone por delante) o sexual (por ejemplo, en medio del desorden jerárquico, un hermano mayor que abusa sexualmente de una niña). Todo ello de forma imprevisible e inespecífica, como corresponde al imperio del caos, a diferencia de las pautas específicas que describíamos a propósito de las familias estructuradas, tanto trianguladoras como deprivadoras. Pero el tipo de maltrato físico que verdaderamente caracteriza a las familias caóticas es la *negligencia*, consistente en una falta de cuidados y atenciones que constituye un peligro continuo de accidentes y carencias.

> Rafa y Loli tuvieron dos hijos muy seguidos, a pesar de que vivían en el domicilio de los padres de él y no contaban con ingresos económicos estables. Cuando los abuelos se marcharon al pueblo dejándoles la casa, las cosas empeoraron aún más, porque ambos aumentaron el consumo de alcohol y de cannabis sin que hubiera nadie capaz de cuidar regularmente de los niños. Los vecinos denunciaron que Robert, de 3 años, permanecía largos ratos solo en el rellano de la escalera, mientras que los llantos de Isaac, el bebé de pocos meses, se oían día y noche por el patio de luces. Cuando los servicios sociales intervinieron, se encontraron a los dos niños desnutridos y con importantes lesiones cutáneas, en una situación de desamparo que obligó a ingresarlos en un centro de acogida.

La negligencia es la modalidad más frecuente de maltrato físico, así como, seguramente, la más grave, puesto que pone en peligro la integridad física del niño en un contexto de abandono que es, también, muy lesivo para su integridad psicológica.

El maltrato a los padres

La alarma social que generan las noticias de violencia y maltrato familiar registra con frecuencia creciente casos en los que los mayores son maltratados por los menores o los ancianos por los jóvenes y personas maduras. Y, de nuevo aquí, un sordo rumor de incomprensión y protesta brota de los medios de comunicación y se extiende por la opinión pública. ¿Hasta dónde vamos a llegar? ¿Es que ya no hay principios? ¿Se puede concebir que el egoísmo y la prepotencia de los jóvenes arremeta desconsideradamente contra la fragilidad y la vulnerabilidad de los mayores? Y se citan casos de abuelitos entrañables abandonados en servicios de urgencias para que sus hijos y nietos puedan disfrutar de unas vacaciones o de abnegados padres y madres agredidos por hijos cada vez más jóvenes.

No hay duda de que el estatus social de los ancianos ha cambiado con los tiempos. Hasta hace pocos años, envejecer era un lujo al alcance de muy pocos, y la demografía convertía a los ancianos en un bien precioso que había que proteger. Ellos eran el archivo principal de sabiduría y la memoria histórica de unas sociedades que apenas contaban con unas pocas décadas de vida productiva para la inmensa mayoría de sus miembros. Pero la longevidad rampante hace que, en la actualidad, el problema sea exactamente el opuesto: las sociedades avanzadas envejecen a marchas forzadas y los ancianos son considerados cada vez más como cargas inútiles y como una amenaza para la economía. No puede sorprender que, en ese contexto, «se les pierda el respeto», o, lo que es lo mismo, se modifiquen los mitos y desaparezcan los tabúes que los protegían y sacralizaban.

Cancelada, pues, la cobertura cultural que los hacía prácticamente intocables, los ancianos se enfrentan en la actualidad a un trato más personalizado. Siguen siendo objeto de una cierta protección, la que se dispensa a los miembros más vulnerables de un sistema, pero, en líneas generales, se les tiende a tratar de formas que guardan más relación con sus propios méritos personales. Y, desde este punto de vista, «quien siembra vientos, recoge tempestades».

Hemos de considerar la violencia ejercida sobre los padres como un eslabón más de la cadena del maltrato, en la que los que lo practicaron ayer tienen bastantes posibilidades de recibirlo hoy... o mañana. Y no precisamente de la misma especie. Lo más frecuente es que, en la infancia de los que maltratan físicamente a sus padres, no se encuentren datos explícitos de haber sido maltratados físicamente por ellos. Pero, afínense los sensores, y no será difícil detectar indicios significativos de un trato inadecuado o, lo que es lo mismo, de alguna variante de maltrato psicológico.

Laura, con 18 años, es la menor de los tres hijos de Eduardo y Martina, y la única que continúa viviendo con ellos. La familia pertenece a una comunidad religiosa muy estricta, que pretende regular hasta los más nimios aspectos de la vida privada de sus miembros, pero, además, Eduardo y Martina son rígidos y puntillosos, y se inmiscuyen continuamente en las decisiones de Laura, controlándola hasta extremos increíbles. Le critican la ropa que se compra y hacen de un peinado moderno un verdadero *casus belli*. En una atmósfera de crispación que no cesa de agudizarse, Laura amenaza con un cuchillo a Martina y hasta llega a golpearla. Los padres no dudan en llamar a la policía, que detiene a la chica por «maltratadora».

Pero que nadie piense que estamos sugiriendo que, cuando son maltratados por sus hijos, los padres «tienen su merecido», puesto que nada más zafio y menos ajustado a realidad que la idea de que esa violencia recursiva equivaldría a cualquier modalidad de justicia o beneficiaría remotamente a quien la ejerce. Antes bien, el cierre del círculo vicioso del maltrato saca a la superficie lo peor de la condición humana e, indudablemente, envilece y perjudica a quien lo practica, ensombreciendo aún más las perspectivas de su salud mental.

La existencia, en una familia, de un hijo «bueno» y un hijo «malo», capaz este último de las mayores crueldades con los padres, nos pondrá sobre la pista de antiguos agravios comparativos, en los que el hijo hoy malo fue objeto de trato discriminatorio en relación con el primero. Y aunque los hay que reaccionan con infinita mansedumbre, repitiendo eternamente una conducta sumisa o unos síntomas psicopatológicos que deberían acabar por aportarles reconocimiento y valoración, tan ansiados, otros se revelan y pasan al ataque, aunque se dejen jirones de piel en el empeño.

Tampoco es raro que ciertos niños triangulados acaben revolviéndose contra el progenitor que fue su aliado, incluso, paradójicamente, con más virulencia que contra el que siempre fue su antagonista. Es la situación que se vive, con el paso del tiempo, en algunas familias de esquizofrénicos, y que, a veces, llegan a desembocar en acontecimientos trágicos. Los medios pueden hacerse eco como por ejemplo:

Madre e hijo convivían solos desde la muerte del padre, registrándose frecuentes incidentes que habían conducido al ingreso del joven en el hospital psiquiátrico a instancias de la anciana. Esta vez, al parecer, la violencia se desencadenó a raíz de que ella se negara a darle más dinero para tabaco.

Años atrás, ese psicótico fue un niño objeto de una triangulación desconfirmadora que le hizo creer en una relación privilegiada con su madre, sólo para terminar intuyendo que el juego le sobrepasaba, y que él no pasaba de comparsa en medio de la apasionada contienda que se libraba en su entorno. Y no siempre la agresión a los padres se enmarca en una enfermedad mental, pero, en cualquier caso, lo que no suelen consignar las noticias son las calladas emociones de esos hijos, amargamente decepcionados al haber constatado que la supuesta alianza fue instrumentalizada por el progenitor en su propio beneficio.

Dora no podía dar crédito a la actitud de su hijo Julio, que, según ella, había sido siempre su ojo derecho, especialmente en los años de hierro en que el conflicto con su marido había alcanzado niveles de gran violencia. Ahora, en cambio, ya separada la pareja, Julio estaba insoportablemente agresivo, habiendo llegado a darle empujones y algunos golpes cuando ella intentaba explicarle lo que era correcto que hiciera.

Tal era la narración de Dora, pero Julio veía las cosas de otra manera. Para él, un muchacho de 19 años con ansias de independencia, su madre estaba obsesionada por controlarlo y le hacía la vida imposible. Pero además, según él, ella no podía disimular su preferencia por Mario, el hermano menor, de 15 años. «Mientras le interesó tenerme a su lado porque las cosas le iban mal con mi padre, me trataba bien, pero ahora ha salido a la superficie su verdadera condición y se ve que es a Mario a quien quiere.»

Y no es que, evidentemente, Dora no quiera a Julio, pero ambos están pagando las consecuencias de la antigua triangulación, por lo que Julio se siente traicionado porque ahora sus servicios no son ya necesarios y Dora cree ver reproducirse en el chico las cualidades de prepotencia y violencia que le generaban tanto rechazo en el padre. Y, tratándolo como a tal, la profecía autocumplidora acaba por generar aquello que se pretende evitar.

En otras ocasiones, cuando lo que le ha ocurrido en la infancia ha estado más en la línea de la deprivación o de la caotización, el hijo puede llegar a sentir odio por esos padres que no le han dado aquello a lo que tenía derecho, y puede vivirlos como un obstáculo o una molestia en el camino de su realización personal.

En este tema, como en todos los que tienen que ver con las relaciones humanas, las disfunciones pueden ser de muy diversa gravedad, pero lo que conviene tener siempre presente es que el maltrato familiar de los mayores por parte de los jóvenes es un fenómeno complejo, que constituye un elemento de una secuencia interactiva mucho más larga y bidireccional (Barudy, 1998; Cirillo y Di Blasio, 1989; Madanes, 1990; Perrone, 1997).

El maltrato entre hermanos

Según cuenta la Biblia, Caín mató a Abel por envidia, porque sus sacrificios eran menos apreciados por Jehová que los de su hermano. Siempre hemos visto en ese mito fundacional de la historia de las relaciones familiares a un «bueno», el hermano asesinado, y a un «malo», por supuesto el asesino. Pero la historia se podría contar de otras maneras. Quizá Caín era un hombre económico y buen administrador y Abel un manirroto que supo seducir a Jehová con lindos ramos de flores y espigas. Entonces, puede que la rabia del primero fuera una reacción frente a la facilidad con que el último se dejó deslumbrar por las cualidades de uno de los dos, en detrimento de las del otro. Y, puesto que Adán y Eva estaban en excedencia parental desde su expulsión del paraíso, ese dios barbudo, distante y caprichoso, que se decanta arbitrariamente por uno de los dos jóvenes, adquiere indudablemente la condición de metáfora paterna.

Ya tenemos, pues, al tercero en liza: el padre que, con su torpe intervención, complica hasta extremos imprevisibles (y potencialmente trágicos) la relación entre los hermanos. Así son las cosas. Que sepa la legión de padres que se queja de los celos existentes entre sus hijos que, si son leves, los celos son normales y carecen de importancia, pero si son graves, la responsabilidad del problema recaerá, muy probablemente, en los adultos.

Gemma asistía impotente a las trifulcas que estallaban continuamente entre sus dos hijos, Carlos, de 20 años, y Mateo, de 16. El pequeño era el que más le preocupaba, porque sus ataques de ira alcanzaban una violencia peligrosa: en más de una ocasión había amenazado a su hermano con un cuchillo, llegando incluso a producirle algún corte al intentar éste sustraérselo. Luego se marchaba de casa y permanecía desaparecido durante muchas horas. La historia que se pudo construir entre todos cuando la familia acudió a terapia resultó muy útil para cambiar la situación. Gemma se había separado de Antonio, su marido, del que se casó muy enamorada siendo casi una niña, cuando él se opuso a su crecimiento personal, obstaculizando cualquier paso que ella diera en dirección a alcanzar su propia autonomía. Antonio empezó a beber más de la cuenta, perdió su trabajo y, en medio de la penuria económica y de continuas peleas conyugales, la vida se hizo muy difícil para todos. Pero Gemma se hizo fuerte y consiguió separarse sacando adelante a sus hijos, aunque para ello contó con el consuelo de poderse apoyar en

Carlos, «que era un niño muy maduro y se daba cuenta de lo que ocurría en casa». El padre enfermó de cirrosis hepática y, pocos años más tarde, murió; Mateo fue el que más le acompañó y consoló en sus últimos días.

Gemma quería por igual a sus dos hijos, y por ambos habría dado su vida si hubiera sido preciso, pero Carlos había desempeñado un papel muy especial con ella, que lo había convertido en adulto prematuramente. Ahora, él se sentía autorizado por su madre a desempeñar con Mateo un rol paterno que le venía largo, y la rebeldía de éste no hacía sino poner más de manifiesto aún las limitaciones de su hermano. Baste con saber, para entender la confusión que se había ido instalando en la familia, que Gemma les ocultaba a sus hijos que tenía una nueva relación con un hombre... sobre todo porque le daba vergüenza que Carlos lo supiera.

Todo cambió cuando Gemma comprendió algo tan sencillo como que debía tratar igual a sus dos hijos, y no a uno de ellos como pseudopareja.

Los equívocos, los malos entendidos y los juegos manifiestamente patológicos que subyacen a la violencia entre hermanos triangulados ponen de manifiesto casi inevitablemente la responsabilidad de los padres. A veces, éstos lo comprenden fácilmente y rectifican de forma oportuna, pero otras veces se empecinan sin asumir su implicación.

Resulta llamativo cómo algunos padres deprivadores fomentan la rivalidad entre sus hijos, con la motivación de fondo, vagamente narcisística, de que ellos aparecen así como los más perfectos del sistema. Cuando hablan de los chicos, lo hacen de forma condescendiente, si no directamente crítica, y, lejos de enorgullecerse ante la posibilidad de que ellos se alíen entre sí y ejerzan una complicidad solidaria, viven esa posibilidad como una amenaza.

En cuanto a las familias caóticas, también pueden generar maltrato fraterno, como hemos puesto de ma-

nifiesto más arriba. Ello ocurre, sobre todo, por el desorden jerárquico que propicia la desestructuración,
que se pone frecuentemente de manifiesto en forma de
abusos sexuales entre hermanos.

En cualquier caso, el maltrato entre hermanos, psicológico o físico, representa, más allá del daño directo
que puede generar, un notable empobrecimiento relacional para los individuos y para la familia. Porque la
fratría, cuando predominan en ella los vínculos positivos y las relaciones nutricias, constituye una extraordinaria fuente de recursos, capaz de neutralizar traumas
y carencias e incluso de suministrar alternativas a unos
lazos paterno-filiales deteriorados.

Capítulo 4

EL MALTRATO PSICOLÓGICO
FUERA DE LA FAMILIA

La familia es el espacio relacional más importante, donde los vínculos son más necesarios para la maduración del individuo y, por tanto, los lazos se establecen de forma más estable y duradera. Al igual que el ser humano necesita una larga permanencia en el vientre materno para asegurarse la viabilidad biológica, una laboriosa crianza familiar es imprescindible para garantizar su viabilidad social. Los niños sin familia sucumben, salvo si encuentran un sucedáneo familiar que ejerza rigurosamente las funciones nutricias y sociabilizantes.

Por eso, porque el «buen trato» familiar es tan necesario, el maltrato familiar resulta tan destructivo. No existe otro espacio relacional cuyo mal funcionamiento ejerza una influencia tan nefasta sobre la salud mental como la familia.

Pero, *homo homini lupus*. El hombre es un lobo para el hombre. O, dicho con otras palabras, el hombre puede convertirse en un terrible depredador para los miembros de su propia especie. No examinaremos aquí, pues-

to que exceden los límites de este libro, las situaciones
en que esa depredación puede ejercerse en un contexto
macrosocial (guerras, torturas, persecuciones políticas,
discriminaciones raciales, etc.) o fuera de un marco relacional definido (robos y asesinatos, asaltos económicos
o sexuales, etc.). En cambio, sí dedicaremos una breve
reflexión a algunas situaciones de maltrato, principalmente psicológico, aunque con frecuentes implicaciones físicas, que se producen en contextos relacionales
precisos y de gran importancia, como la escuela, el trabajo o las instituciones asistenciales. Su inclusión en un
libro sobre el maltrato psicológico en la familia tiene
sentido porque, como veremos, ésta se halla presente de
diversas formas en el trasfondo del escenario.

El niño maltratado por sus iguales: la escuela y la pandilla

El *acoso escolar*, llamado *bullying*, ha saltado a la actualidad en España a raíz de algún caso reciente de trá-
gicas consecuencias, pero es evidente que lleva muchos
años (¿tantos como tiene la humanidad?) practicándo-
se. En esencia consiste en que un niño es maltratado
por sus iguales, que resultan no serlo tanto, puesto que
el acoso se ejerce sobre el que es percibido como diferente y, sobre todo, como débil en su diferencia.

La designación de la víctima responde, pues, a la dinámica del *chivo expiatorio*, que exige que aquélla sea diferente y, sobre todo, más débil que los acosadores, para
garantizar su abrumadora indefensión. Se trata del mismo proceso que generó el antisemitismo y que acabó
conduciendo al holocausto judío en la Alemania de la

década de 1940, así que no hemos de minimizar su tras-cendencia ni ser ciegos a la espantosa crueldad que pue-de poner de manifiesto.

Porque, en efecto, hacer sufrir al débil haciéndole notar su condición diversa no asimilable, es un modo de encubrir la propia debilidad convirtiéndola en bru-talidad y creando una ficción de fuerza. «Puesto que so-mos capaces de hacer sufrir a ése, que es distinto a no-sotros porque tiene gafas, o es tímido, o no le interesan los deportes, nosotros somos geniales.» Los beneficios inmediatos residen en una consolidación del grupo, en base a la exaltación de las cualidades que se autoatribu-yen sus miembros por oposición al otro, que es exclui-do, perseguido, torturado y, eventualmente, destruido.

Comerse al miembro de una especie menos fuerte es propio de depredadores carnívoros y, como veíamos al principio de este libro, plenamente funcional. Ensa-ñarse en grupo con el congénere débil, en cambio, es una perversión de la depredación típicamente huma-na, que no comporta beneficio alguno para la especie y, por el contrario, la limita, uniformiza y empobrece.

Este componente de tipo grupal es característico del acoso escolar: se trata de un grupo que acosa a un indi-viduo y, aunque el primero puede estar liderado por otro individuo, sus actividades acosadoras están en función de su relación con el grupo y se realizan con éste como re-ferencia. Y es el cambio en el grupo el que puede acabar con el acoso, mediante un control de los comportamien-tos individuales de sus miembros más comprometidos con él. Se trata de un matiz importante, que permite di-ferenciar el acoso escolar de un simple conflicto entre compañeros.

Cuando José Antonio llegó a la adolescencia empezó para él la época más sombría de su vida. Hasta entonces había sido un chico sociable y sin problemas de relación con sus compañeros de colegio, pero, desde los 13 años, las cosas cambiaron para mal, sin que él supiera por qué. Luego, con el paso de los años, pudo comprender que él se había automarginado un poco, porque, siendo un muchacho de constitución frágil y poco dotado para los ejercicios físicos, se negó a participar en cualquier competición deportiva, refugiándose, en cambio, en actividades artísticas y culturales que le granjearon cierta fama de repelente. Además, tuvo una discusión con un muchacho que hasta entonces había sido su amigo y que, a partir de aquel momento, lo trató con mucha dureza. Pero lo peor fue que el resto de la clase se le puso en contra. Le adjudicaron un mote infamante y le llamaban «mariquita», llegando a inventarse calumnias sobre sus supuestas inclinaciones homosexuales. Durante los siguientes dos años fueron continuas las bromas de mal gusto, los abucheos y las provocaciones, sin que José Antonio supiera cómo atajar aquella tortura. Hasta que, de pronto, los problemas empezaron a disminuir, para desaparecer completamente en dos años más, sin dejar otras consecuencias que una marcada timidez que, de adulto, evolucionaría hacia una fobia social.

José Antonio sufrió una modalidad leve de acoso escolar que, sin embargo, le hizo sufrir mucho durante la adolescencia, disminuyendo considerablemente su seguridad en sí mismo. No fue capaz de pedir ayuda ni de hablarlo con nadie y, muerto de vergüenza, desarrolló conductas evitativas que llegaron a constituir un problema serio. Era hijo único y, en su familia, le había faltado ese entrenamiento entre iguales que facilitaba la adquisición de habilidades sociales, en unos tiempos en que lo normal era tener hermanos y una familia extensa muy presente. Sus padres se preocupaban por él en temas que consideraban importantes, pero, inmersos en sus actividades profesionales, no desempeñaban un papel activo en lo tocante a la educación, cuya responsabilidad delegaban plenamente en el colegio («un buen colegio privado, por supuesto»). Sin ser deprivadora, la familia de José Antonio presentaba ciertas tendencias a descuidar las funciones protectoras, necesarias para evitar que se produzcan este tipo de problemas. Un descuido que se produjo de forma mucho más grave en el caso de Enrico.

Durante más de un año, Enrico, de 12 años, estuvo siendo sometido a torturas físicas diariamente en el camino de regreso a casa desde el colegio. Sus verdugos constituían una pandilla de niños de una clase superior de su mismo colegio, que habían desarrollado una estrategia de interceptación y arresto para conducirlo a un jardín abandonado. Una vez allí, lo obligaban a realizar determinadas prácticas sexuales, bajo amenaza de castigos físicos que, inevitablemente, acababan produciéndose. En el colegio no se ejercía el acoso físico, pero le enviaban mensajes por medio de gestos o de alguna palabra pronunciada al cruzarse con él en un pasillo. Enrico vivía permanentemente aterrorizado y sumido en una depresión siempre más profunda. A veces, si el acoso no se producía durante un breve período, o si imaginaba gestos amistosos en sus torturadores, concebía esperanzas que acababan resultando infundadas.

Sus padres eran ciegos a su sufrimiento, puesto que no supieron ver el significado de las lesiones físicas que mostraba: hematomas, quemaduras, cortes... Y también sordos, porque, alguna vez, Enrico había explotado en amargo llanto, interpretado por aquéllos como manifestaciones de su «quejumbroso» carácter. Agotadas sus escasas opciones de pedir socorro, Enrico intentó suicidarse tirándose por la ventana de su habitación y, sólo entonces, a raíz de su «milagrosa» supervivencia, una intervención terapéutica permitió conocer la historia.

Enrico fue objeto, ciertamente, de un grave acoso escolar, detrás del cual, además de la crueldad de sus compañeros, estaban la incapacidad de la escuela para detectarlo y, lo que es aún más grave, la escasa sensibilidad de su familia para protegerlo. Nunca se insistirá bastante en la importancia de detectar lo antes posible estas situaciones y, sobre todo, de prevenirlas mediante una adecuada sensibilización de escuelas y familias. Porque, detrás de numerosos suicidios de niños y adolescentes, existen indicios de que se oculta este penoso conjunto de acoso escolar, incompetencia escolar y desprotección familiar. Y de Estados Unidos nos llegan noticias de que lo mismo ocurre, en aquella sociedad más proclive al uso de armas, con los niños que, hartos de sufrir en silencio el acoso de sus compañeros, se entregan a una orgía de asesinatos colectivos.

Desgraciadamente, la sensibilización suele venir acompañada de la alarma social, en la que se desencadenan mecanismos emocionales poco controlados que pueden complicar aún más las cosas. Es lo que ocurre cuando se inventa un acoso inexistente.

> En la clase de Ramón, correspondiente a la franja de los 11 años, había un niño «diferente», tanto por ser un poco mayor (13 años) como por proceder de una familia de escasos recursos y tener mayores dificultades en los procesos de aprendizaje. Walter, que así se llamaba, había sido muy amigo de Ramón, pero habían discutido y ahora estaban enemistados, y habían llegado a las manos en un par de ocasiones. Ramón era un niño muy inquieto, con una familia que no destacaba por su colaboración con la escuela. Por eso los maestros se sorprendieron cuando sus padres pidieron una entrevista para comunicarles que Ramón estaba siendo objeto de acoso por parte de Walter y exigir la expulsión de éste.
>
> Las quejas de Ramón habían sido hipervaloradas por unos padres culpabilizados por su anterior falta de atención al niño, que habían convertido la denuncia del supuesto acoso en un símbolo de su nueva actitud parental.

Las ventajas de un aparente progreso de la parentalidad pueden verse ensombrecidas por una actitud hiperprotectora que, como en el caso de los padres de Ramón, elija un nuevo chivo expiatorio (o dos, puesto que, además de Walter, el colegio fue seriamente cuestionado) para mejorar la relación con su hijo. Es una dinámica igualmente inadecuada, que hipoteca la sociabilización de aquel a quien se pretende proteger al dar por legítimas sus quejas manipulatorias. El niño aprenderá a ganarse la atención de los padres recurriendo a medios tan poco legítimos como calumniar a un compañero socialmente más desprotegido.

Las escuelas deben estar atentas para detectar precozmente cualquier indicio de acoso, pero siempre evitando actitudes histéricas o de exceso de celo, que acaban creando un problema mayor que el que intentan solucionar.

El acoso en el trabajo

De nuevo una modalidad de maltrato psicológico que nos viene propuesta con una expresión inglesa: el *mobbing* o *acoso laboral* (Hirigoyen, 2001).

Que el trabajo por cuenta ajena está expuesto a la explotación y al abuso es una realidad de sobras conocida, combatida desde las primeras luchas obreras y desde que existe actividad sindical, hace ciento cincuenta años aproximadamente. La historia de las relaciones laborales en Occidente puede ser entendida, desde este punto de vista, como una pugna constante por reducir los niveles de un *mobbing* que alcanzaba niveles insoportables en los tiempos del capitalismo salvaje.

Aunque no se trate, pues, de un fenómeno reciente, ocurre que la sensibilidad social contemporánea no tolera ciertas formas de explotación o de presión laboral, que pueden, qué duda cabe, alterar la salud mental de quien las sufre. Existe, paradójicamente, más tolerancia al despido, que en sus modalidades más arbitrarias puede convertirse en la suprema y más nefasta forma de *mobbing*.

El acoso laboral se ejerce, clásicamente, sobre mujeres y sobre empleados de cierta edad, más que sobre hombres jóvenes, y suele revestir formas más o menos persecutorias relacionadas con la exigencia de rendimientos o con la aplicación de horarios rígidos. A veces consiste, incluso explícitamente, en hacerle la vida imposible a alguien para que acabe yéndose por propia iniciativa

Gloria trabajaba en una gran empresa de transportes, pero debió pedir la baja por enfermedad. Estaba muy deprimida por el panorama que tenía en casa: el marido, gravemente enfermo de insuficiencia renal, había intentado suicidarse tras propinar una fuerte paliza a uno de los hijos, de 5 años. El niño había sido recogido por los servicios de atención al menor, pero tenían otro, de 7 años, muy movido y fuente de continuos problemas en la escuela. El horario de Gloria consistía en levantarse a las 4 de la mañana para empezar a trabajar a las 6, y estaba de regreso en casa a las 4 de la tarde, excepto si le imponían horas extras, en cuyo caso la vuelta podía retrasarse hasta bien avanzada la tarde. Por supuesto, tenía que preocuparse también de cuidar al marido y al hijo mayor, así como de todas las gestiones relacionadas con la lucha por recuperar al pequeño. Simplemente no le salían las cuentas de las horas necesarias para hacer todo eso, no dormía y estaba continuamente al límite de sus fuerzas.

En la empresa, cada vez que la veían cabizbaja o que la oían protestar, el jefe le decía con acritud que ésa no era una tarea para mujeres, y menos casadas y con hijos, le negaba permisos y la cambiaba continuamente de puesto de trabajo. Gloria estaba pensando seriamente en el suicidio cuando el médico de cabecera la obligó a pedir la baja. Por suerte, una terapia familiar ayudó a que las cosas mejoraran y, cuando se reincorporó al trabajo, un apoyo combinado de médicos y sindicato consiguió que se le dieran unas condiciones laborales y un horario decentes.

El caso de Gloria no es ni raro ni especialmente espectacular en lo que se refiere a las condiciones laborales. Infinidad de personas sobreviven sometidas a infiernos similares, y aún se consideran privilegiadas por tener un contrato fijo. Algunas sucumben. Para evitarlo, no sólo son necesarias leyes adecuadas de protección social, sino una toma de conciencia colectiva que permita la movilización oportuna de los testigos del acoso (amigos, compañeros, cuadros sindicales) y, sobre todo, un buen apoyo familiar.

Es éste el elemento que conviene resaltar en un libro como el presente, que trata de los fracasos de la familia en el ejercicio de las funciones nutricias y protectoras. Y, en el acoso laboral, que afecta a personas adultas, el más importante papel de apoyo recae en la *familia creada,* es decir, en la pareja y en los hijos.

Si la pareja no funciona bien, su reacción puede ser de sordera ante las quejas del miembro que está sufriendo el *mobbing,* o incluso de sobrecarga de estrés, si al acoso se le añaden exigencias desmesuradas y actitudes poco solidarias. Otras veces se verbaliza un apoyo abstracto, que no se traduce en alivio concreto porque plantea objetivos imposibles de alcanzar por la persona acosada: «¡Son unos… y unos… y lo que hay que hacer es cortarles los …!». O bien: «¡Tú eres tonto, porque te dejas dominar por esa gentuza. Lo que tienes que hacer es cantarles las cuarenta y darles caña!». Son actitudes que no ayudan, puesto que sitúan la solución fuera del alcance de la víctima.

Una relación de verdadero apoyo debe combinar la comprensión y el consuelo con la ayuda para buscar soluciones eficaces con espíritu práctico. Y los hijos, a medida que van siendo mayores y más responsables, tienen

también la oportunidad de ser útiles a sus padres disminuyendo la presión que pueden crear demandas demasiado egoístas.

El maltrato institucional

El *maltrato institucional* se produce cuando los orga-
nismos administrativos responsables de suministrar servicios incumplen sus funciones, o bien las desarrollan
de forma deficiente, generando un malestar innecesa-
rio en los usuarios.

Desde un punto de vista amplio, incurre en maltrato institucional la empleada de correos que nos atiende
con desidia o altivez, el policía que nos hace esperar
para presentar una denuncia mientras se fuma un ciga-
rrillo con un compañero, o el médico que nos niega
una derivación al especialista por un arbitrario afán de
ahorro a la seguridad social. Pero ninguna de estas situaciones, aun siendo frecuentes y, a menudo, graves,
encaja con el tema que aquí nos ocupa.

El maltrato institucional sobre el que reflexionare-
mos en este apartado es el que ejercen las instituciones
responsables de la atención a niños y adolescentes
cuando sustituyen a las familias en el ejercicio de las
funciones protectoras. Un maltrato que se produce en
un doble frente: directamente sobre el menor, cuando
es estafado relacionalmente por una institución que interviene para protegerlo y no lo hace; y sobre la familia
(y, por tanto, indirectamente, también sobre el niño),
cuando es ignorada, descalificada o acosada, de forma
que sus recursos relacionales disminuyen como resultado de la intervención.

La primera fuente de maltrato institucional es el déficit de recursos. Es, desde luego, la más simple y fácil de analizar, pero por sus gravísimas consecuencias requiere una reflexión. Las administraciones públicas, en un sistema democrático, aspiran a quedar bien con los electores suministrando servicios, pero son expertas en trampear a fin de que parezca que dan lo que en realidad no dan. Y ello es aún más claro en un terreno como la atención a la infancia, cuyos usuarios suelen ser ciudadanos desfavorecidos económicamente, cuando no marginales. Se invierte, pues, poco y mal. Además, en los últimos tiempos la administración tiende a contratar estos servicios con empresas privadas, que son las encargadas de gestionar directamente la penuria, cuando no la miseria. Cuando salta el escándalo, lo cual ocurre raramente dada la desprotección legal en que se suelen encontrar las poblaciones atendidas, son estas empresas las que deben afrontar las consecuencias. Y tampoco ellas están muy interesadas en denunciar la responsabilidad de una administración pública que les impone condiciones leoninas, dado que no se pueden permitir una actuación que rompa las reglas del juego.

En definitiva, que existe un juego de complicidades que permite que haya cientos de niños en situación de riesgo en lista de espera para acceder a centros de acogida. Simplemente, se alega, porque no hay plazas.

Malena y Rubén tenían, respectivamente, 16 y 13 años, y eran hijos de Enriqueta, una mujer ecuatoriana establecida en España para huir de la pobreza y de un marido maltratador, padre de los chicos. La familia atravesó dificultades importantes en los primeros momentos de la emigración, porque Enriqueta, muy deprimida, se mostraba incapaz de cuidar a los niños. Pronto, sin embargo, a raíz del inicio de una terapia familiar, en-

traron en una etapa de buena adaptación, con la madre trabajando, los hijos escolarizados y una relación razonablemente armoniosa. Enriqueta estaba aprendiendo a ejercer de madre,
pero, paralelamente, aumentó su autoestima y comenzó a disfrutar de la vida. Estando en ésas, se enamoró de Hassan, un
marroquí del que quedó embarazada y con el que empezó a
convivir, junto con sus hijos. Él era un buen hombre, pero su rígida educación islámica contrastaba con las costumbres de la
familia y pronto surgieron dificultades con Malena y Rubén, que
aumentaron al nacer la pequeña Margarita.

La presión material no ayudaba, porque los cinco vivían en
un espacio muy reducido y, aunque Hassan trabajaba, Enriqueta tuvo que dejar de hacerlo para cuidar al bebé. Los choques
se hicieron constantes. Cuando los adolescentes no estaban en
casa provocando a Hassan y a su madre, estaban en la calle,
frecuentando pandillas muy violentas de jóvenes latinoamerica-
nos. La crisis amenazaba con destruir todo lo que se había
avanzado en la terapia, porque Enriqueta comenzaba a hablar
de enviar a los niños a su país de origen. Por eso se pactó con
la familia una posibilidad nueva: Malena y Rubén aceptarían ir a
un centro de acogida para que los conflictos pudieran disminuir,
mientras la familia buscaba una casa más grande y Enriqueta se
reincorporaba al trabajo. Serían sólo unos meses, pero las consecuencias podían ser enormemente importantes.

Desgraciadamente, cuando todo estaba negociado y acor-
dado, resultó imposible conseguir las plazas para los dos hermanos. «No es posible.» «No es suficientemente grave.» «No tenemos plazas para adolescentes.» «Se escaparán apenas lleguen y
todo habrá sido inútil.» Estos y otros pretextos impidieron desarrollar la línea de trabajo que habría permitido desbloquear la situación. Y, en medio de una tormenta relacional gravísima, los
chicos abandonaron la escuela y se fugaron de casa, entregán-
dose en cuerpo y alma a su militancia pandillera.

La penuria se muestra de muchas formas, a veces
mediante la falta de plazas, pero también como inadecuación de las disponibles.

Los dos hijos de Marisa y Luis, de 4 y 2 años, les fueron retirados a raíz de varias denuncias de la madre de él, que no había

aceptado nunca a su nuera. El desencadenante fue un accidente que sufrió el chico mayor mientras jugaba en un parque en compañía de la madre. Desde los servicios de atención a la infancia se consideró que la abuela debía de tener razón, a la vista del «descuido» de Marisa. Sin entrar a valorar la justicia de esa decisión y su adecuación al bienestar de los menores, lo que resulta llamativo es que éstos fueron asignados a una residencia de difícil acceso, en una carretera sinuosa y sin transportes públicos. Los padres, que no tenían vehículo propio, podían recogerlos los sábados y devolverlos el mismo día, pero para pasar unas horas con ellos debían hacer cuatro veces a pie el peligroso camino, dos de ellas con los niños, dada la imposibilidad de costearse un taxi. Con frío, calor o lluvia, a veces de noche y siempre con un gran tráfico y sin arcén, el riesgo de un accidente era ahora muy alto. Pero no hubo posibilidad de que los cambiaran de centro. «Hay lo que hay, no tenemos más plazas.»

Enriqueta y Hassan, al igual que Marisa y Luis, tenían una resignada actitud respecto del maltrato institucional que estaban recibiendo. Ellos eran dolorosamente conscientes de su insignificancia social, estaban acostumbrados al maltrato y se puede decir que no esperaban otra cosa. Si acaso, trampear con más o menos éxito para engañar al poder. La verdadera tragedia reside en el mensaje que reciben los niños, que aprenden a no confiar en las instituciones que, teóricamente, estarían encargadas de su protección. Y ello si no sucumben ni quedan gravemente dañados a resultas de esa intervención «protectora».

Las políticas inadecuadas de atención a la infancia introducen un elemento cualitativo de mayor calado en el maltrato institucional. Y la más grave de todas es la que prioriza absolutamente al niño en detrimento de la familia.

Nadie discute la necesidad de atender prioritariamente al niño en situación de riesgo y, en las páginas precedentes, hemos dejado bien establecida la importancia de reconocer las responsabilidades de la familia para poder atajarlas. Pero la experiencia enseña que la solución no pasa por arrancar al niño de su familia más que cuando se demuestre la imposibilidad de ayudar a que ésta cambie y el peligro sea extremo. En caso contrario, siempre será más rentable apoyar a la familia para que recupere su funcionalidad, sobre todo cuando los niños ya tienen una edad que les dificulta o imposibilita empezar una nueva vida olvidando sus raíces.

Ignorar a la familia, ensañarse con ella incurriendo en presunción de culpabilidad, dificultar o impedir su acceso a los niños y, por supuesto, no brindarle ayuda terapéutica son distintas manifestaciones de esta grave modalidad de maltrato institucional, del cual la víctima última acaba siendo el niño.

Asterisco es una asociación privada que concierta servicios de atención a la infancia con la administración pública. Debido a sus influyentes conexiones políticas, y a su potencia económica, Asterisco obtiene un trato favorable en la adjudicación de ciertos programas y, además, dicta doctrina en cuestiones ideológicas relacionadas con el tema. Y su doctrina es clara: las familias que incurren en maltrato son malas y deben ser apartadas de las criaturas, facilitándose al máximo que éstas se desvinculen de sus padres. A tal efecto, Asterisco ha creado una red de familias de acogida que le son adictas, en las cuales alienta sin ningún disimulo expectativas de adoptar a los niños que acogen, aunque sean preadolescentes o adolescentes. Además, en los centros de acogida que controla, crea una plantilla de educadores poco profesionales, unidos por vínculos familiares y por lealtades personales evocadoras de una atmófera sectaria. Incluso promociona a funciones de educadores a antiguos pupilos, muy jóvenes y manifiestamente inmaduros.

Los efectos de este acúmulo de disparates no se hacen esperar. Las familias se sienten discriminadas y descalificadas. A los padres no se les permiten las visitas, contra la opinión de los terapeutas ajenos a Asterisco, o se les tortura obligándoles a esperar a la intemperie, humillándolos con tratos vejatorios. Los niños, comprados por un confort material con el que nunca soñaron, se desgarran en conflictos de lealtades que aumentan sus sufrimientos. Y, por supuesto, acaban sabiéndose detalles siniestros. Los niños que se identifican con la institución, «comprendiendo el bien que se les hace aquí», obtienen beneficios que se les niegan solapadamente a los que no aceptan la versión oficial sobre «lo inadecuados que son sus padres». Se fomenta el espionaje entre hermanos, para que los adictos informen a la institución de lo que pasa los fines de semana. Todo ello, expuesto con voz meliflua y entre suspiros que expresan infinita bondad y preocupación. Y, de vez en cuando, se detecta algún episodio de abusos sexuales, protagonizado por los educadores fieles, tan precipitadamente reclutados.

Lo más grave de todo es que, en el juego de complicidades mafiosas que se establece entre las diversas instituciones, una organización como Asterisco no es apartada de la atención al menor, y aunque todo el mundo sabe lo que hace, se le siguen confiando tareas muy delicadas.

La otra gran fuente de maltrato institucional por inadecuación en la orientación política consiste en la priorización de las grandes intervenciones, principalmente la retirada de los niños del hogar familiar, en detrimento de otras medidas menos espectaculares, pero que podrían resultar mucho más eficaces. Las instituciones que incurren en esta actitud se muestran incompetentes por omisión en el 90 % de los casos, y concentran sus esfuerzos para ser incompetentes por exceso en el 10 % restante.

Juan y Remedios eran muy jóvenes y ya tenían tres hijos, de 4, 2 y 1 año. Agobiados por unos trabajos agotadores, que tenían que compaginar con un continuo ir y venir a casa de los abuelos, que les ayudaban en el cuidado de los niños, empezaron a pelearse con intensidad creciente. Remedios tenía una lengua punzante, pero Juan perdía los estribos y, a veces, usaba la violencia. Se cruzaron varias denuncias, apoyados por sus respectivas familias de origen, que coincidían en considerar culpable al «otro». En una nueva denuncia, presentada por la familia de Juan, se citaba que Remedios no ponía suficiente interés en llevar a vacunar a los niños. No era cierto, pero había habido una discusión sobre el tema esa mañana y era un asunto aún caliente.

Bastó para que se desencadenara un procedimiento que, en el plazo de tres días, concluyó con los tres niños ingresados en un centro de acogida y los padres convertidos en presuntos maltratadores. No había duda de que los padres se llevaban mal y de que sus peleas podían estar afectando a sus hijos, pero no existía el menor indicio real de maltrato directo sobre éstos. Los niños eran sanos y se les veía felices y contentos con sus padres.

La intervención fue muy traumática y, en términos económicos, costosísima. Con una terapia de pareja y, eventualmente, una ayuda material que hubiera permitido disminuir la presión sobre los padres (quizá, simplemente, una trabajadora familiar que hubiera pasado unas horas en casa colaborando en las tareas domésticas y en el cuidado de los niños), el caso se habría podido resolver con mucho menos sufrimiento para todos. Pero las instituciones habían decidido intervenir con artillería pesada y costó varios años conseguir que la familia se reunificara en buenas condiciones.

Las familias desestructuradas, llamadas multiproblemáticas, que son las que más intervenciones de las instituciones suscitan, responden bien a la ayuda terapéutica cuando ésta es canalizada de forma adecuada a sus necesidades y a su idiosincrasia. Por eso es tan importante darles la oportunidad de cambiar, interviniendo sobre ellas con delicadeza y respeto. Tratándose de sistemas muy frágiles y vulnerables, brutalizarlas poniéndolas al límite de sus precarios recursos equivale a acelerar su destrucción. Y los niños son, sin duda, los primeros perjudicados.

Lo mismo ocurre cuando las instituciones triangulan a las familias y a los niños. Las triangulaciones pueden ocurrir entre instituciones de cualquier tipo, como en el ejemplo citado de Asterisco, en que el centro de acogida se convierte en perseguidor de la familia biológica, mientras que el equipo de atención a la infancia intenta potenciar los recursos de ésta. Pero, dadas las características de la legislación española, son frecuentes las triangulaciones entre juzgados, atención a la infancia y, eventualmente, el equipo terapéutico. Porque, en efecto, en España es la administración pública (generalmente Bienestar Social) la responsable de proteger a los niños en situación de riesgo, la justicia sólo interviene en segunda instancia, si la familia denuncia o si se aprecian implicaciones penales. Como estas circunstancias son frecuentes, las dos instituciones se hallan implicadas a menudo, a diferencia de lo que ocurre en los países en los que son los juzgados los directamente responsables de intervenir.

Cuando Benito y Flora se aproximaban a los dos años de terapia, sus expectativas de obtener el retorno de sus dos hijos a la familia estaban justificadas. Habían trabajado duro para cambiar y ofrecerles a los niños un marco relacional nutricio y seguro. La terapeuta respaldaba su petición, argumentando exhaustivamente la buena evolución de los padres y la conveniencia de no aplazar más la vuelta de los chicos. Pero el equipo de atención al menor argüía que, puesto que los padres interpusieron denuncia en su momento, cuando los niños les fueron retirados, el caso estaba en los tribunales, y tendría que ser el juez quien tomara la decisión.

En realidad no era así, puesto que la decisión del retorno la podían tomar ellos en cualquier momento, pero, negándose a hacerlo, era como si quisieran castigar a los padres por haber osado defenderse, denunciando la retirada de sus hijos. Y el juzgado mantenía su ritmo lentísimo de resolución del caso, sabedor de que la otra instancia podía, teóricamente, abreviar los plazos.

Es terrible la manera en que suele reaccionar la administración cuando las familias ejercen su legítimo derecho a defenderse. Desde la lógica lineal y simplista que preside su intervención, se sitúan en el papel de buenos y relegan a las familias al de malos, por lo que sólo esperan de ellas la rendición incondicional. Su actitud sólo podría ser benévola si la familia hiciera una confesión de culpabilidad: «Sí, tienen ustedes razón, hemos sido malísimos con nuestros hijos, poniéndolos en grave riesgo. Reconocemos nuestras culpas y prometemos enmendarnos». Pero eso no es realista y, en cambio, muchas veces, hay que saber ver en la reacción defensiva de la familia frente al trauma de la separación de los niños el inicio de un proceso que, terapéuticamente encauzado, puede conducir a transformaciones decisivas.

Otras veces, la responsabilidad del maltrato institucional recae más directamente sobre los profesionales como personas, pudiéndose hablar de auténtica *mala práctica*. Se ponen en juego entonces los clásicos vicios de los colectivos funcionariales.

Podríamos llamar «cobardía» o «pereza jerárquica» a los reflejos que interfieren con la toma de decisiones correctas a causa de la estructura de poder. Y, cuando está en juego la salud o la integridad física de los niños, la forma más frecuente que revisten es, simplemente, la falta de toma de decisiones. «¿Por qué tengo yo que arriesgarme a tomar la decisión de que este niño vuelva con sus padres si, en caso de que pase algo, puedo cargar con la responsabilidad? ¿Qué garantías hay de que

todo vaya bien?» Es evidente que nunca puede haber
garantías de nada en el terreno de las relaciones humanas, con lo que una decisión tan trascendental puede
aplazarse indefinidamente.

> A Felipe y Juana les comunicaron que, al cumplirse un año de
> la retirada de sus hijas del hogar familiar, la medida se prolongaría
> por un año más. Ellos estaban realizando exitosamente una tera-
> pia familiar, que servía a la vez de espacio de cambio y de eva-
> luación de los resultados obtenidos, pero los burócratas de los
> servicios de atención a la infancia no tuvieron en cuenta esa cir-
> cunstancia cuando los condenaron a un año más de pena. En
> realidad, tenían una agenda tan apretada que ni siquiera realiza-
> ron una entrevista de coordinación con el terapeuta, limitándose
> a prorrogar mecánicamente la medida. Al preguntarles las razo-
> nes de su decisión, adujeron que ellos tenían la responsabilidad,
> y que no podían arriesgarse a que pasara algo grave sin haber
> podido evaluar adecuadamente la situación.

La mentalidad burocrática es muy hábil para convertir dificultades propias (en este caso, su real falta de
tiempo) en problemas para los demás (una arbitraria
prolongación del tiempo de separación de los hijos),
eludiendo asumir cualquier responsabilidad.

No es raro que, además, en los centros de acogida se
lleven a cabo situaciones de malos tratos, con frecuencia los mismos de los que se pretende salvar a los niños.
Hace unos años era una práctica común, y nadie se sor-
prendía de ello, que en los internados en que se recluía
a los niños abandonados, o incluso en los reformatorios
en los que se les encerraba para reeducarlos, se practi-
cara la violencia física o sexual. Aún en nuestros días se
trata de una realidad penosamente cotidiana en países
del Tercer Mundo. No incurriremos en la fácil práctica
de condenar los horrores obvios, pero sí es necesario

manifestar que, aunque en menor cantidad y gravedad, eso continúa ocurriendo aquí, entre nosotros. A veces de forma oficiosa, y entonces se le llama *contención*, y a veces clandestinamente, en cuyo caso es menos probable que reciba la cobertura mistificadora de un nombre técnico. De cualquier modo, se trata del mismo abuso de poder de siempre, doblemente siniestro al aplicarse sobre niños vulnerables, marcados por el desamor y la desprotección.

Lamentablemente, la evidencia de estas medidas suele verse rodeada de un muro de complicidades corporativas que impiden su comprobación y, por supuesto, cualquier tipo de trabajo reparador. «Es su palabra contra la mía» o «Esas cosas aquí no pasan». El mal queda hecho, y la desconfianza del niño en las instituciones se ve definitivamente confirmada.

Trabajando con profesionales de atención al menor se tiene ocasión de conocer a personas de muy diversa calidad humana. Algunas son verdaderamente admirables, y sacan lo mejor de sí desenvolviéndose en circunstancias de extrema dureza. Otras, en cambio, sucumben a diversas modalidades de *burn out* (el síndrome de la combustión del profesional) y, maltratando a niños y familias, dan lo peor de sí. Ya hemos descrito algunas de tales variantes, pero existen muchas más. Por ejemplo, un auténtico *racismo*, que no necesita de emigrantes para manifestarse.

Trabajar sistemáticamente con personas pobres, marginales o socialmente desfavorecidas puede influir de diversas formas en los profesionales. Si el trabajo se desarrolla en buenas condiciones laborales, cabe esperar que aparezcan, si es que no las había ya desde un principio, tendencias identificatorias con la población asistida, percibida como necesitada de ayuda solidaria. Pero el desbordamiento de casos difíciles, junto con sueldos bajos y una escasa formación, puede también generar una óptica perversa, según la cual la población asistida es la fuente de la propia frustración («¡Esos malditos zarrapastrosos que, no sólo no cuidan a sus hijos, sino que, además, me amargan la vida desobedeciendo mis consignas!»).

La percepción peyorativa y racista se acompaña a veces, paradójicamente, de una especie de *perfeccionismo narcisista,* que hace que se les exija a unas pobres gentes que se debaten al filo de la supervivencia lo que no se puede garantizar en cualquier otra familia.

En una reunión de coordinación para evaluar el posible regreso a casa de Ernesto, el hijo menor (5 años) de Gloria y Ángel, están presentes el terapeuta familiar (TF), una trabajadora social (TS) y una pedagoga (PG), representantes estas dos últimas de los servicios sociales y del equipo de atención al menor, respectivamente. El terapeuta ha estado trabajando con la familia más de un año y ahora argumenta su opinión de que el regreso del pequeño debe producirse ya:

TF: Yo creo que, en realidad, son buena gente, que entraron en crisis a raíz de la enfermedad de Ángel hace aproximadamente dos años. Ya sabéis que Gloria andaba absolutamente desbordada con unos horarios de trabajo increíbles. Se levantaba a las 4 de la mañana y...

TS: ¡Sí, Gloria es especialista en presentarse como víctima! Pero ahora lleva seis meses de baja.

TF: En realidad se acaba de reincorporar al trabajo, pero la baja estaba justificada, porque Gloria estaba pensando en el suicidio, con un marido enfermo que le da una paliza a Ernesto y, encima, un horario imposible.

PG: Pues si ahora vuelve a trabajar, no sé cómo va a poder controlar al marido y garantizar la seguridad de los niños.

TF: Bueno, pero ahora ha conseguido que le cambien el horario en condiciones muy favorables. La verdad es que ha superado la depresión y ha sabido manejarse muy bien en la empresa.

TS: Yo la he visto siempre muy manipuladora...

PG: Y lo de Ángel no tiene remedio, porque siempre va a estar enfermo.

TF: Hombre, la insuficiencia renal la sigue teniendo, pero la pareja ha cambiado muchísimo. Él tampoco está ya deprimido, ayuda mucho en casa y trata muy adecuadamente a los niños, tanto a Ernesto como al otro. Es como si hubieran conseguido restaurar la pareja, volviendo a los primeros tiempos, en que se querían mucho y pasaron unos años realmente felices.

TS: Pues yo tenía la impresión de que siempre habían sido una pareja muy inmadura, muy irresponsables y al borde de lo maníaco.

Y así sucesivamente. Una visión negra, totalmente desesperanzada, y una mal disimulada irritación ante las propuestas positivas del terapeuta. ¡Cómo les van a venir a ellas con monsergas de que esta gente es buena! ¡Si sabrán ellas!

La visión peyorativa y pesimista también se suele apoyar en prejuicios patologizadores. ¿Cómo puede cambiar esta familia si la madre es una depresiva grave y el padre un trastorno límite de personalidad? A una mente burocrática, escasamente proclive a conectar relacionalmente con los usuarios, le tranquiliza poderlos etiquetar con diagnósticos que, además, entrañan en la mayoría de los casos un pronóstico sombrío, cuando no una connotación de «incurabilidad». Así se confirma el pesimismo y, sobre todo, la conclusión práctica de que «no hay nada que hacer con esta gente».

Casi todos los tipos de maltrato institucional (en el campo de la atención al menor) expuestos hasta ahora se resumen en uno: una visión llena de prejuicios negativos con relación a la familia biológica, que, en tanto que «maltratante», no merece la menor confianza y debe ser tratada con el máximo rigor. A lo largo de este libro se ha focalizado sistemáticamente el maltrato familiar, enfatizando la responsabilidad de los padres en tantas situaciones que comportan sufrimiento por parte de los hijos. Pero nada de eso justifica que la supuesta protección a los hijos pase por maltratar a los padres maltratadores. Una protección sensata debe pasar por ayudar a la familia a cambiar para que pueda desempeñar adecuadamente sus funciones nutricias. Porque, excepto en la pequeña proporción de casos en que la adopción es posible y deseable (bebés o niños muy pequeños en peligro de muerte y con familias manifiestamente irrecuperables), todas las alternativas reales a la familia son peores que ésta. Y porque los niños, apenas alcanzan un cierto control de sus procesos mentales, se identifican con su familia y la internalizan, incorporándola a su identidad. Por eso hay que hacer todo lo posible por ayudarlos a reconciliarse con su familia, para que no se sientan toda la vida hijos de monstruos y, por tanto, en cierta medida, monstruos ellos mismos.

La política de atención al menor deriva de las leyes correspondientes y, en consecuencia, el fracaso de aquélla depende en cierta medida de la calidad de éstas. Difícilmente puede haber una buena política con malas leyes, por lo que, como ciudadanos, tenemos el derecho y el deber de criticarlas. Y aunque no es éste el lugar indicado para proceder a un análisis detallado del ordenamiento jurídico que regula la atención al menor, podemos adelantar lo que, en nuestra opinión, es un gravísimo defecto: la obligatoriedad, que afecta en primera posición a los terapeutas y a otros profesionales implicados (maestros, trabajadores sociales, etc.), de presentar denuncia ante el menor indicio de maltrato.

Es preciso tener en cuenta que, en el campo del maltrato, como en cualquier otro, por cierto, existe una enorme variedad de circunstancias y una amplia gama de situaciones graves, siendo, por fortuna, las más frecuentes los casos menos graves. Tratarlos a todos de la misma forma, en primera instancia, como si fueran de la máxima gravedad, es inadecuado, y eso traumatiza innecesariamente a una multitud de familias (y, por tanto, de niños) que podrían corregirse con facilidad. Los profesionales deberían ver legalmente reconocida su capacidad de evaluar la severidad de la situación, reservando la denuncia para aquellas que se consideren de riesgo inmediato y no susceptibles de medidas protectoras eficaces. El resto, la gran mayoría, serían tributarias de diversos abordajes terapéuticos, capaces de interrumpir la secuencia del maltrato y de reparar sus efectos. Así se evitaría un número considerable de casos de maltrato institucional que hunden sus raíces en la inadecuación de las leyes.

Capítulo 5

QUÉ HACER FRENTE AL MALTRATO PSICOLÓGICO

Cuando un tema suscita, justificadamente, alarma social, no basta con reconocer su existencia e intentar comprenderlo. Aunque ésos son movimientos necesarios, también conviene encontrar salidas prácticas que aporten criterios de actuación. De lo contrario se corre el peligro de que la alarma no disminuya y, en una atmósfera emocional de ansiedad generalizada, se acaben generando respuestas inadecuadas y falsas soluciones.

¿Qué hacer, pues, frente al maltrato psicológico? Ante todo, una precisión filosófica. Como decíamos al pricipio de esta obra, el maltrato es un fenómeno humano: somos criaturas primariamente amorosas y secundariamente maltratantes. Así, no tiene mucho sentido pretender erradicar el maltrato. Como dice Eduardo Cárdenas (1999), lo que se consigue entonces es lo contrario, exacerbarlo y estimularlo. Eso no quiere decir que no haya que controlar a los maltratadores, pero el objetivo de la acción política, social y cultural ha de ser fomentar el «buentrato», es decir, el amor.

Cómo limitar el maltrato psicológico: la prevención

Prevenir el maltrato psicológico de forma sensata es la mejor inversión que se puede hacer en el campo de la salud mental. Y citamos la sensatez porque, desde luego, ella no incluye perseguir a los maltratadores psicológicos con el código penal, o implantarles chips que se activen cuando se aproximan al maltratado o… cuando aumenta el volumen de su expresión verbal (esto último, un disparate que todavía no se le ha ocurrido a nadie, que sepamos, pero toquemos madera).

Educar relacionalmente a la población es, en cambio, una medida practicable y utilísima, que, desgraciadamente, dista mucho de estar siendo utilizada. Por el contrario, basta con hojear las páginas sanitarias de *El País* para darse cuenta de que en un tema tan importante como la salud mental, los medios, incluso si son liberales e ilustrados como el citado diario, proceden sistemáticamente a desinformar y a sembrar la confusión. ¿Cuántas veces se habrá anunciado el descubrimiento del origen biológico de la esquizofrenia, e incluso las raíces genéticas de la homosexualidad? Y, sin embargo, la tozuda realidad se empeña en demostrar una y otra vez que el neurotransmisor de turno termina siendo descartado como causa del citado trastorno y que los genes, que compartimos en un 95 % con la mosca drosófila, no pueden dar razón más que de procesos biológicos importantísimos, pero elementales. Sólo que el periodista que recogió rápidamente la primera noticia no se muestra en absoluto interesado en informar de la segunda. Simplemente porque la no confirmación de una remota hipótesis científica no interesa a nadie.

La biología es, por supuesto, fundamental para la actividad psicológica. Sin cerebro no hay procesos mentales, pero si el sistema nervioso central es el hardware del psiquismo, la actividad relacional es el software, que lo programa y le da contenidos. El amor y el maltrato son elementos fundamentales de esa programación.

Siempre que se enfatiza la importancia de las bases biológicas en el desarrollo psicológico, normal o patológico, y se silencia la enorme trascendencia de los aspectos relacionales, se está desinformando y, por tanto, fomentando el maltrato psicológico por vías indirectas. Y ello se realiza sistemáticamente a la mayor honra y gloria de la industria farmacéutica, que es la que hace negocio con la biología. Un negocio tan ingente (pensemos en el fenómeno consumista del Prozac, como simple símbolo de las fortunas que se ganan con los psicofármacos) que exige un importante presupuesto para publicidad.

Informar de que las maneras en que tratamos a nuestros hijos, así como la forma en que seguimos relacionándonos de adultos, tienen una decisiva importancia sobre nuestros estados mentales es ya, aunque muy general, una forma de prevención del maltrato psicológico. Porque, si el sentido común y la cultura popular dicen que nos angustiamos con los conflictos difíciles de resolver, que la soledad y el aislamiento nos deprimen, que el trato injusto nos vuelve agresivos y que la confusión puede llegar a enloquecernos, es bueno que el discurso científico confirme tales obviedades, en vez de contradecirlas u oscurecerlas. Quizás así nos lo pensaremos dos veces antes de triangular a nuestros hijos en desgarradores conflictos de lealtades, de abandonarlos prematuramente a su destino, de tratarlos arbitrariamente o de desorientarlos con mensajes contradictorios.

Por eso hay que acercar el máximo posible la información a la población, aprovechando cuantos foros estén al alcance para debatir sobre la necesidad de tratarse bien y tratar bien a los niños en beneficio de la salud mental de todos. Unas autoridades sanitarias sensibles sabrían encontrar los contextos adecuados, que deberían buscar la participación de los usuarios trascendiendo los clásicos *spots* o vallas publicitarias. Las reuniones de padres en las guarderías y en los colegios podrían brindar excelentes oportunidades para tratar, de forma sistemática y planificada, una amplia gama de temas, y los centros sociales y culturales deberían incluir estas cuestiones en su programación. Y, en cuanto al acoso laboral, los sindicatos y las asociaciones profesionales deberían dedicarle la atención que se merece, no sólo desde el punto de vista reivindicativo, sino también facilitando un enfoque preventivo.

Hay temas específicos, como el divorcio, que, por su gran trascendencia, necesitan un tratamiento particularizado. Más aún cuando algunas ideologías muy influyentes siembran confusión prodigando soflamas sobre la indisolubilidad de los vínculos matrimoniales. Pocas ideas sobre las relaciones humanas son tan peregrinas como ésa, y las ideologías que usan su influencia para dificultar el divorcio, aunque luego vendan hipócritamente a buen precio la «nulidad del matrimonio», son cómplices de maltrato.

Cuando la pareja deja de constituir un espacio de amor, forzar su mantenimiento es la mejor manera de garantizar que se acabe convirtiendo en un espacio de odio y destructividad. Por eso la prevención del maltrato pasa por generar en los cónyuges expectativas razonables de que, separados de la forma menos traumática, es posible reorganizar exitosamente la vida sentimental.

La separación y el divorcio no son un fracaso, sino una etapa cada vez más transitada del ciclo vital, y su influjo benéfico no se limita a los cónyuges, sino que se extiende a los hijos. El hecho de que éstos no quieran, mientras son pequeños, que sus padres se separen, no significa que la separación sea negativa para ellos. Se trata de una de tantas opciones irracionales en las que los niños intentan imponer su voluntad, exigiendo de los adultos una gran serenidad para hacerles comprender que no todo lo que desean es lo mejor. Cuando la pareja parental funciona para el odio, mostrándose incapaz de resolver armoniosamente los conflictos, su disolución civilizada es un beneficio para la salud mental de los niños, sea cual sea su edad. No tiene, pues, sentido que los padres esperen a que los hijos sean mayores para separarse. Puede que entonces algunos males tengan peor remedio.

Cómo afrontar el maltrato psicológico: la intervención en situación de crisis y el tratamiento

Una vez detectada la existencia de maltrato psicológico, se plantea la necesidad de interrumpirlo, así como de neutralizar sus efectos inmediatos. Podemos llamar intervención en crisis a la que se propone como objetivo principal la interrupción de la secuencia maltratadora, mientras que el tratamiento propiamente dicho apuntará a aliviar y suprimir el sufrimiento y los síntomas generados en el proceso. Es evidente que, en la mayoría de los casos, ambas intervenciones se deberán realizar de forma uni-

ficada o conjunta, puesto que son los síntomas y el sufrimiento los que ponen sobre la pista de la existencia de
una pauta de maltrato psicológico.

Y aquí se impone una recapitulación, consecuente
con lo expuesto en los capítulos precedentes, a saber,
que en muchas situaciones de sufrimiento psicológico
subyace maltrato, ya sea en forma de triangulación, de
deprivación o de caotización, aunque no por ello se debe
realizar una aproximación acusatoria o estrictamente
controladora. Si en el maltrato físico el control puede ser
necesario cuando existe un riesgo grave e inminente
para la salud, pero, aun así, dicho control se debe realizar en el contexto de una aproximación terapéutica, ésta
es todavía más conveniente en el maltrato psicológico,
cuyos riesgos son siempre menos inmediatos.

El control sin terapia, que en el maltrato físico está
condenado al fracaso, en el maltrato psicológico simplemente carece de sentido. Sólo una intervención terapéutica permite cumplir los objetivos anunciados, es
decir, interrumpir la secuencia maltratadora y, simultáneamente, poner en marcha un proceso reparador. Y,
puesto que estamos hablando de pautas relacionales
disfuncionales que se desencadenan y se desarrollan
principalmente en el contexto de la familia, parece de
sentido común que sea la *terapia familiar* la opción más
indicada.

La terapia familiar es una modalidad de psicoterapia
que, como su nombre indica, se realiza trabajando con
la familia. También se la conoce como *terapia sistémica*
porque el modelo teórico que la inspira es el sistémico,
que recibe su nombre de la *teoría general de sistemas*, de
Ludwig von Bertalanffy. A diferencia de las psicoterapias
individuales, la terapia familiar sistémica no focaliza

primariamente el mundo interno de las personas, sino sus relaciones. No representa ninguna opción ideológica a favor de la familia en abstracto, sino que parte de la evidencia de que, hoy por hoy, las relaciones familiares son las más importantes y las que más influyen en la construcción de la personalidad individual. Por eso, cuando esas relaciones son inadecuadas o presentan aspectos negativos que hacen sufrir a sus miembros, ayudar a la familia a cambiar es una práctica muy útil. Cambiando las relaciones familiares, cambian las personas y desaparecen los síntomas y el sufrimiento psicológico.

Una terapia familiar suele consistir en una tanda de sesiones en número variable, que, dependiendo de la gravedad del problema, puede oscilar entre cinco o siete para los más leves y veinte o treinta para los más severos. Las sesiones duran alrededor de una hora y su frecuencia varía, desde semanal hasta mensual. El terapeuta suele empezar trabajando con la unidad principal de convivencia, generalmente los que comparten un mismo hogar, pero puede convocar también a otros miembros de la familia (por ejemplo, hermanos ya emancipados), así como citar separadamente a subsistemas familiares, como los padres o los hijos, o intercalar sesiones individuales.

En la terapia familiar no se ajustan cuentas ni se regaña a quien actúa incorrectamente, como tampoco se suplantan, por parte del terapeuta, las funciones protectoras y nutricias que debe desempeñar la familia. Se trata, por el contrario, de estimular el desarrollo de esas funciones, facilitando los sentimientos de pertenencia para que también sean posibles la maduración y la autonomía. Y los cambios no se imponen, sino que se negocian con los distintos miembros para que, en la

medida de lo posible, todos se encuentren cómodos en
la nueva situación.

Si existen situaciones de abuso de poder y maltrato
manifiesto que ponen en peligro la salud de quienes los
sufren, el terapeuta trabajará para que cesen cuanto antes, sin perder de vista que, en una familia, el malestar y
el sufrimiento se comparten, y que quienes los causan
también suelen ser personas necesitadas de ayuda psicológica.

Cómo contrarrestar el maltrato psicológico: la rehabilitación

Ya hemos dicho que las consecuencias del maltrato
psicológico son, ni más ni menos, los trastornos mentales. En un sentido amplio, y sin reduccionismos simplis-
tas, el maltrato hace enfermar, aunque la psicopatología
tampoco pueda ser separada del sustrato biológico que
le sirve de soporte ni de los condicionantes culturales
que la sobredeterminan. Desde este punto de vista, es difícil deslindar el tratamiento de la rehabilitación, aunque
se podría considerar al primero como la intervención
que se realiza cuando aún están presentes el maltrato y
sus consecuencias inmediatas, los síntomas agudos, y a la
segunda como la que intenta combatir las secuelas a largo plazo que son los síntomas crónicos.

En la práctica, la mejor rehabilitación es también una
terapia, que puede ser individual si las circunstancias del
paciente y, sobre todo, su momento evolutivo así lo acon-
sejan. Sería el caso, por ejemplo, de adultos jóvenes recién independizados de la familia de origen y liberados
de penosas condiciones de maltrato, que no estarían

preparados para afrontar un trabajo terapéutico con la presencia física de sus parientes. Sin embargo, la *terapia familiar* seguirá siendo la principal indicación en una mayoría de casos en que la proximidad de la familia de origen, y los correspondientes vínculos de dependencia, siguen siendo importantes, así como en aquellos otros en los que una autonomía precaria ha conducido a la construcción de una nueva familia marcada por los mismos problemas que caracterizaron a las etapas anteriores.

Porque, en efecto, la elección de pareja puede estar condicionada por las experiencias vividas en la familia de origen y, en consecuencia, adolecer de fragilidades que hunden sus raíces en un pasado sólo aparentemente remoto. Es el caso, por ejemplo, de la persona depresiva, que ha salido de su familia de origen con la premura de encontrar en la pareja un apoyo que compense sus carencias, para caer en una nueva situación frustrante. Es probable que sea entonces cuando se desencadenen sus síntomas, o adquieran una nueva gravedad. Y, entonces, la terapia familiar, quizás en su variante de *terapia de pareja*, puede ser la modalidad de intervención más indicada, en esta línea a mitad de camino entre el tratamiento y la rehabilitación.

Las psicoterapias de *orientación sistémica* pueden manejar adecuadamente estos tres planos, individual, familiar y de pareja, planteándolos de forma separada o combinándolos de diversas maneras. Expondremos, a continuación, un caso tratado sistémicamente, en el que la rehabilitación, el tratamiento y la prevención se entrecruzan en un mismo proceso terapéutico.

Capítulo 6

UN CASO ILUSTRATIVO: ABUSO Y TERAPIA FAMILIAR

Camila, segunda hija de Carlos y Carolina, fue sometida a abusos sexuales por su padre ininterrumpidamente entre los 6 y los 16 años. Es la modalidad más grave de abuso sexual, tanto por la precocidad del inicio y por la duración, como por su intensidad, que incluía relaciones genitales completas. El daño psicológico, por tanto, fue muy importante, partiendo de una triangulación complementaria, en la que Camila fue engañosamente promovida a la condición de «pseudocónyuge».

El maltrato psicológico fue, pues, triangulador, comportando una serie de componentes que distorsionaron la vida de Camila durante un largo y trascendental período. Desde el principio, ella experimentó con una extraña ambivalencia el halago y la seducción con que su padre la trató, puesto que la relación privilegiada que, en algunos aspectos, comportaba no compensaba la pesada amenaza que la acompañaba («Nunca le debes contar esto a nadie, so pena de gravísimas consecuencias para ti y para toda la familia»), así como la pérdida del acceso fluido a su madre, Carolina, que aun no sabiendo conscientemente lo que pasaba, intuía en Camila más a una rival que a una hija. Además, la relación con sus hermanos se vio también afectada negativamente, puesto que ellos no entendían la atmósfera enrarecida que rodeaba a Camila y la interpretaban como manipulatoria por parte de la chica.

Por eso, cuando, a los 16 años, Camila rompió el juego y anunció que se marchaba de casa, su madre y sus hermanos hicieron causa común con su padre, acusándola de caprichosa e irresponsable. Años más tarde, Carolina diría que, aunque su hija le reveló lo que estaba pasando antes de irse, ella pensó «que sólo se trataba de algunos tocamientos menores».

Es una circunstancia gravísima, que se produce a menudo cuando las chicas ponen fin al abuso, generalmente en la adolescencia, y que las coloca en situación de alto riesgo. Tras cobrar conciencia plena de la estafa relacional a que han estado sometidas, se hunden en la autodesvalorización y se sienten abandonadas por todos. No es raro que, sumergidas en una vorágine caótica, incurran en conductas altamente autodestructivas.

Camila no fue una excepción. Anduvo perdida entre traficantes y otros delincuentes, con uno de los cuales se emparejó de forma tan precipitada como precaria. Y de esa relación tuvo tres hijos sucesivos, una niña, Rosa, y dos niños, Alberto y Martín, con los cuales se sumió en un proceso de degradación y deterioro sociales. Pero entre el alcohol, las drogas y los malos tratos que recibía de su pareja, Camila tuvo la idea de recurrir a los únicos de los que intuía que podía obtener ayuda: sus padres. Y la obtuvo. Fue una ayuda envenenada para ella, pero eficaz para sus hijos, que tuvieron en los abuelos a unas buenas figuras parentales, cuidadosas y protectoras.

Pero, paradójicamente, ello supuso un aumento de la degradación de la imagen familiar de Camila, que apareció ante todos como una irresponsable promiscua, capaz de arrastrar a sus hijos a sus caprichos autodestructivos, de donde los abuelos los rescataban gracias a su amorosa abnegación. Carlos y Carolina suspiraban y subían las cejas resignadamente, comunicando a todos la sensación de que con Camila no había nada que hacer, aunque, ¡ay!, ellos estaban dispuestos a cualquier sacrificio por salvar a los niños.

Carlos dirigía una empresa familiar en la que irían trabajando todos sus hijos menos, naturalmente, Camila. Así es como los hermanos de ésta, Felipe, Rodrigo, Magdalena, Ignacio y Roberto, participaron sin proponérselo del entramado de complicidades que confirmaban la descalificación y el descrédito de Camila, «esa loca mimada en la que no se podía confiar». Con el paso del tiempo, los hijos de ésta también recibirían propuestas de incorporación futura a la red que excluía y marginaba a su madre. Todos estaban interesados en hacer verosímil la historia de la irresponsabilidad de Camila. Los padres para combatir los sentimientos de culpa que evocaban los recuerdos del abuso e incluso para borrar su misma evidencia y los hermanos para justificar su privilegio frente a la marginación de la excluida. Incluso a Rosa, Alberto y Martín les resultaba tranquilizador creer en la insolvencia injustificable de su madre, que les permitía gozar con los abuelos de unas ventajas materiales que ella no les podía dar.

Así las cosas, ocurrió que Camila, tras haber tocado fondo, inició un lento remonte en su vida. Conoció a Fernando, un buen hombre que, muy enamorado, le ofreció la posibilidad de crear una familia estable, a la que Camila aportó lo único que para ella conducía a la estabilidad: más hijos. Nacieron Javier y Fernandito, que unidos a Tamaris, fruto de un anterior matrimonio de Fernando, completaron un panorama tan novedoso como comprometido. Por una parte, no había duda de que, por primera vez, Camila vislumbraba la posibilidad de ser reconocida como mujer capaz y responsable, al frente de una familia respetada. Tanto que se atrevió a denunciar a su padre en un centro de atención al menor, alegando que existía peligro de que les hiciera a sus hijos lo que le había hecho a ella. Esto bastó para que los tres chicos mayores regresaran junto a su madre, aunque de mal talante y sin comprender por qué debían renunciar a las comodidades que disfrutaban con sus abuelos. Por otra parte, lo arduo de la tarea ponía de manifiesto sus limitaciones: sencillamente no se sentía con fuerzas de sacar adelante a una familia tan compleja. Fernando trabajaba jornadas interminables como agente de seguridad, mientras ella debía bregar con la sobrecarga que suponían los pequeños y con la permanente descalificación a la que la sometían los mayores: «Tú, que nos abandonaste para darte la gran vida, ahora tienes la cara de sacarnos de casa de los abuelos alegando que son un peligro. ¡Tú sí que eres una embustera peligrosa!». Y Camila se sumió en la depresión.

Fue entonces cuando empezó una terapia familiar, que, en una primera etapa, se propuso consolidar el nuevo papel de Camila como esposa y madre en su familia creada. Fernando colaboró plenamente y Rosa, Alberto y Martín se calmaron lo suficiente como para empezar a poder escuchar a su madre. Seguían sin entender el alcance del daño que ésta había sufrido en su infancia, siendo ellos también niños damnificados por una historia tormentosa, pero, al menos, le concedieron el beneficio de la duda: sí, ella los quería y, a su manera, buscaba lo mejor para ellos. Comprendieron que no podían regresar con los abuelos, pero se resistían a vivir en unas condiciones que no eran las adecuadas. Aceptaron de buen grado ir a una residencia que ofrecieron los servicios sociales y, durante los fines de semana que pasaban con Camila, ésta empezó a experimentar, por primera vez, la sensación de tener una familia bien avenida por la que valía la pena esforzarse. Sobre todo Rosa, de 17 años, y Martín, de 12, se mostraron tranquilos y cariñosos con sus hermanos, así como razonablemente respetuosos con Fernando. Pero con Alberto hubo más problemas, ya que la turbulencia adolescente de sus 14 años se reforzaba por el hecho de ser el más consentido por los abuelos, quienes habían alentado en él fantasías de una pronta incorporación a la empresa familiar. La depresión de Camila había desaparecido, pero lo inestable de la situación exigía nuevos planteamientos.

Por eso el terapeuta le propuso a Camila abrir otro capítulo: «Usted es una mujer formidable, que ha sacado fuerzas de flaqueza hasta conseguir lo que nadie habría imaginado hace unos años: crear una hermosa familia y organizar bien el presente. El problema es que el pasado es tan atroz que se le cuela por las rendijas, amenazando con arruinar en cualquier momento lo construido. Lo que yo le ofrezco es que, ahora, focalicemos el pasado y nos centremos en su familia de origen, sus padres y sus hermanos principalmente, para que usted pueda obtener la reparación que merece y necesita. Ésa es una condición necesaria también para que su relación con sus hijos, y muy especialmente con Alberto, se clarifique y se estabilice definitivamente. Pero, para eso, tiene usted que traerme a sus padres».

Y los trajo. No le costó mucho porque Carlos temía el escándalo e incluso las posibles consecuencias legales, y Carolina seguía a su marido incondicionalmente. Así que Camila se presentó con ambos a la sesión, así como con Rosa, a la que había escogido en calidad de hija mayor para que la acompañara y fuera testigo de todo lo que se hablara. Y el padre protagonizó una actuación memorable, en la que reconoció todas sus culpas: «No sólo la sometí a unos abusos espantosos, sino, lo que es peor, luego he permitido que fuera ella la que apareciera como culpable de los fracasos de su vida. No puedo pedir perdón porque no lo merezco». La madre afirmaba no haberse dado cuenta de nada y su marido, caballerosamente, refrendaba su inocencia: «Yo soy el único culpable». No obstante, Carolina mantenía un tono crítico con su hija: «Yo no sabía nada, y el hecho de que hayas sufrido por lo que te hiciera tu padre no justifica que no me hayas dicho nada a mí. Tú no te portaste bien, ni conmigo ni con tus hijos».

Pero, a esas alturas, ni Camila ni el terapeuta iban a permitir que se perpetraran nuevas mistificaciones. Así que se rechazaron tajantemente las acusaciones y se planteó la necesidad de una asamblea familiar que aclarase definitivamente las cosas y que restaurase el prestigio de Camila. Ella debía elegir las personas que asistirían, y así lo hizo: sus hermanos con sus parejas y dos tías maternas como representantes de la familia extensa, así como Rosa en representación de sus hijos.

La sesión se celebró con la asistencia de 15 personas, y el padre se reiteró en su autoacusación. Con voz firme y gesto digno, explicitó que había cometido los peores abusos sexuales con su hija y que luego había permitido que se la acusara de irresponsable, sin aclarar nunca hasta ese momento que tenía razones de peso para andar perdida en la vida. La madre, que insistía en que ella no sabía nada («Bueno, todo lo más me imaginaba que podía haber habido unos tocamientos menores...»), se mostró compungida, llorando desconsoladamente y reprochando a su marido que hubiera podido hacerle una cosa así a su hija. Las cuñadas fueron muy duras con Carlos, insistiendo en que Camila ahora era otra persona ante sus ojos. Pero los que desempeñaron un papel decisivo, que no cesaría de aumentar en importancia desde ese momento, fueron los hermanos.

Felipe, el mayor, era un caso especial, porque tenía una larga historia de consumo de drogas y era un hombre sumamente reservado, que no pronunció una palabra durante toda la sesión. Pero Rodrigo, el tercero, lideró un proceso reparador admirable. Cuando tomó la palabra, empezó reconociendo su parte de responsabilidad en la marginación a la que todos habían sometido a Camila: «Debimos habernos dado cuenta, pero no quisimos ver. Algo intuíamos, pero cerramos los ojos por comodidad, porque se vivía mejor en la ignorancia. Era más fácil acusar a una hermana de irresponsable, mientras se debatía en la tormenta de su vida y nos iba trayendo hijos a casa para que se los cuidáramos, que aceptar que lo que estaba podrido eran los cimientos de la familia, que el culpable de todo era nuestro padre y que el crimen se había prolongado durante años bajo la mirada de nuestra madre y... de todos nosotros. Nada volverá a ser igual a partir de hoy. Le debemos a Camila algo muy grande, muy importante...».

Magdalena lloró mucho, pero, a diferencia del llanto de la madre, el suyo expresaba una conmoción sincera y un nítido arrepentimiento, ya que ella había sido, de entre los hermanos, la que más había criticado a Camila. Ignacio y Roberto, de 22 y 20 años, eran mucho menores que sus hermanos y ni siquiera recordaban el momento de la salida de casa de Camila. Para ellos, su hermana había sido siempre una extraña lejana e imprevisible, que incluso se había inventado un posible riesgo de abuso sexual por parte de ellos para con Rosa como motivo urgente para recuperar a sus hijos. Estaban conmovidos, pero necesitaban más tiempo para elaborar la nueva situación.

En definitiva, la sesión de esclarecimiento fue todo un éxito, y el terapeuta así lo señaló, insistiendo en que el proceso de reparación no había hecho sino empezar. Destacó que la reacción de todos era un indicativo de la calidad humana de la familia. «Usted, Carlos, le ha hecho muchísimo daño a Camila, pero ella es ahora una mujer fuerte, hermosa y capaz, que está tomando definitivamente el control de su vida. En esa fuerza suya, en esa capacidad de resistir y de recuperarse, seguramente hay también algo bueno de usted. En cualquier caso, yo querría contar con todos para continuar y concluir esta terapia, que acabe propiciando una situación justa y reparadora para Camila y para sus hijos.»

La intención del terapeuta era seguir trabajando con los padres, con la idea de generar un proceso de reconciliación sólo en la medida en que Camila lo quisiese. Sustenta esta opción la evidencia de que una persona que ha sufrido abusos o ha sido maltratada por sus padres sigue siendo su hija, por lo que, en cierta medida, siempre llevará dentro a sus maltratadores. Todo lo que pueda avanzarse en el sentido de la comprensión y, si es posible, del perdón y de la reconciliación, será una ayuda para aligerarle la carga. Dicho con otras palabras, es más llevadero sentirse hija de unos padres que la maltrataron por sus propios problemas, al fin y al cabo humanos, que de unos monstruos incomprensiblemente satánicos.

La terapia continuó, pues, y en las sesiones que siguieron se pudo trabajar con unos padres que mostraron sombras y luces, y cuya colaboración permitió reconstruir sus historias. Carlos había perdido a su padre siendo un niño, y su madre se volvió a casar con un hombre que nunca la hizo feliz. Los dos hicieron su vida; Carlos recordaba haber descubierto a su madre en la cama con un amante, mientras las infidelidades de su padrastro eran igualmente notorias. En un contexto de abandono, él se forjó una personalidad muy independiente y luchadora, abandonando pronto los estudios para trabajar con gran denuedo. Por su parte, Carolina era huérfana de padre y madre, y su infancia transcurrió en un internado, vigilada de lejos por sus dos hermanas mayores, de las que dependía hasta en los menores detalles. Cuando, a los 17 años, Carlos y Carolina se conocieron, cayeron textualmente el uno en los brazos del otro, constituyendo desde entonces una pareja indisoluble, de extrema complementariedad. Él llevaba el timón y ella ponía flores en los jarrones.

A los 18 años estaban casados y tenían un primer hijo, cuando apenas habían tenido tiempo u ocasión de jugar como niños ni de retozar como adolescentes. Y con 19 años tuvieron a Camila. En ese contexto de prematuridad relacional, con Carlos jugando cada vez con más fuerza al superhombre y con Carolina entregada al rol de frágil muñequita dependiente, se produjo la pérdida de papeles. Felipe fue maltratado físicamente, porque era un mocoso llorón que no respetaba la necesidad de descanso de su padre, y Camila fue víctima de abusos sexuales porque éste, todopoderoso, se merecía «el reposo del guerrero», y Carolina estaba demasiado agotada tras su segundo parto.

Carlos tuvo su momento más honesto cuando, hablando de todos estos temas, manifestó, entre lágrimas, un sincero arrepentimiento: «Nunca más pude fiarme de mí mismo. Siempre mantuve una distancia con mi otra hija, Magdalena, y, desde luego, con mi nieta Rosa, por miedo a volver a perder el control con ellas. Pero, en el fondo, siempre supe que no pasaría nada, porque lo mío con Camila fue una especie de enfermedad, una obsesión morbosa de muy difícil repetición. Yo sé ahora que he arruinado su vida y también la de toda mi familia…». En cuanto a Carolina, ella insistía en no haber ni imaginado que pudiera estar pasando algo semejante, y se mostraba muy enfadada con su marido. Durante unos días lo abandonó, marchándose a vivir a una casa que tenían en la playa, a 200 kilómetros del domicilio familiar, y tuvo varios contactos con Camila que fueron bien acogidos por ésta y que parecieron marcar una nueva relación.

Sin embargo, este cambio tan espectacular de los padres no se mantuvo mucho tiempo. Pronto Carlos empezó a emitir mensajes de que la vida y la empresa familiar tenían que continuar, lo cual provocó en los hijos una reacción de intenso rechazo. Su carácter autoritario no le permitía mantener el perfil humilde que había mostrado durante la confesión. Ahora volvía a atrincherarse en el papel de gran hombre, pecador pero arre-

pentido, junto al que corría a posicionarse su esposa, demasiado dependiente para atreverse a afrontar una vida sin él.

Las sesiones de terapia con los hermanos, incluida Camila
con todos los honores, e incorporados Ignacio y Roberto, gene-
raron un ambiente de entusiasta apoyo a aquélla y de intensa crítica a los padres. Rodrigo se constituyó en líder de una auténtica
revolución familiar: «¿Cómo puede ser que este señor siga pretendiendo actuar como si nada hubiese pasado? ¿Es que se cree
que por haber reconocido lo que hizo, al fin y al cabo cuando no
le ha quedado otro remedio, ya está todo resuelto?¿Y mamá?
¿Cómo se entiende que, después de su marcha, haya vuelto a vivir con él, diciendo que no lo perdona, pero que no lo puede dejar solo? Tenemos que hacer algo para que a Camila no le quede
la menor duda de que sus sufrimientos son cosa del pasado».

¡Y vaya si lo hicieron! Reunidos en consejo, los hermanos
acordaron despojar a los padres de cualquier responsabilidad
en la empresa familiar, concediéndoles un vitalicio digno que les
permitiera vivir lejos, en la casa de la playa. Y todos se alinearon
junto a Camila, ofreciéndole un lugar en la empresa y manifes-
tando su solidaridad de diversas formas. Felipe cambió espec-
tacularmente, hablando con libertad de los malos tratos que él
mismo había sufrido y alineándose, junto a Camila, en el grupo
de los damnificados. Rodrigo, en su condición de nuevo líder,
organizó hábilmente la empresa, ayudando a que todos pudieran encontrar un lugar en ella. Magdalena se ofreció a ayudar a
Camila haciéndose cargo de los hijos de ésta que lo necesitaran
durante algún tiempo. Ignacio se unió a los hermanos mayores
con el entusiasmo del converso y Roberto fue el único que decidió seguir manteniendo relación con los padres, aunque también se acercó a los hermanos y especialmente a Camila. En
concreto, y aunque se trataba de un chico muy joven, organizó
varias comidas en su casa a las que invitó a todos los hermanos, así como a Camila y su familia. Además, pudo resolver con
ésta el equívoco de las acusaciones por abusos sexuales a
Rosa, que, aun siendo infundadas, habían servido para que Camila recuperara a sus hijos. Roberto la comprendió y perdonó,
aunque el asunto trajo para él algunas molestias judiciales.

Por último, Camila acabó de tomar el control de su vida: estudió unos cursos de formación profesional y se hizo trabajadora familiar, alternando esa ocupación con algunas colaboracio-
nes en la empresa familiar. Al final de la terapia, Rosa, ya con 19
años, se fue a vivir independientemente, primero con unas ami-

gas y luego con un chico. Era una muchacha que, en el fragor de los combates que la habían rodeado desde pequeña, había madurado con precocidad, y ahora se mostraba bastante estable. Ella había comprendido a su madre y había ayudado también a la estabilización de la familia. Martín no presentaba problemas, y vivía con su madre mostrando una buena adaptación. En cuanto a Alberto, fue el que más se resistió a aceptar la nueva situación, combinando su identificación con el abuelo con una actitud desafiante propia de su condición de adolescente. Sin embargo, su tía Magdalena se ocupó de él durante una temporada, hasta que disminuyó su conflictividad y pudo adaptarse a su madre y a su nueva familia.

El caso de Camila ilustra bien cómo una historia de maltrato puede infiltrarse en el tejido relacional de una familia a lo largo de varias generaciones. Los padres ya sufrieron las consecuencias de unas pautas de crianza inadecuadas, que los obligaron a afrontar la vida en circunstancias desventajosas. Así se entiende mejor su fracaso con sus hijos, y sobre todo con Felipe y Camila, a los que siguieron sometiendo a situaciones manifiestamente disfuncionales. La cadena del maltrato, a través de la patología adictiva de Felipe y de la conducta inadaptada y la depresión de Camila, amenazaba con transmitirse a los hijos de éstos, entrelazándolos en juegos perversos con las otras dos generaciones. Por suerte, la cadena del maltrato pudo ser interrumpida por una intervención terapéutica, que fue también preventiva de males ulteriores y rehabilitadora de las secuelas del pasado. Y la terapia liberó unos recursos que, con relativa autonomía de las intenciones iniciales del terapeuta, condujeron el proceso por cauces insospechados. El grupo de hermanos adquirió protagonismo, supliendo en su capacidad reparadora los límites de los padres. Tal es la lógica del ecosistema.

BIBLIOGRAFÍA

Arsuaga, J. L. y Martínez, I., *La especie elegida. La larga marcha de la evolución humana*, Madrid, Temas de Hoy, 1998.

Barudy, J., *El dolor invisible de la infancia. Una lectura ecosistémica del maltrato infantil*, Barcelona, Paidós, 1998.

Campo, C. y Linares, J. L., *Sobrevivir a la pareja. Problemas y soluciones*, Barcelona, Planeta, 2002.

Cárdenas, E., *Violencia en la pareja. Intervenciones para la paz desde la paz*, Buenos Aires, Granica, 1999.

Cárdenas, I. y Ortiz, D., *Entre el Amor y el Odio*, Madrid, Síntesis, 2005.

Cirillo, S. y Di Blasio, P., *La famiglia maltratante. Diagnosi e terapia*, 1989 (trad. cast.: *Niños maltratados. Diagnóstico y terapia familiar*, Barcelona, Paidós, 1991).

Eisler, R., *The Chalice and the Blade. Our History, Our Future*, 1987 (trad. cast.: *El Cáliz y la Espada. La Alternativa Femenina*, Madrid, Martínez de Murguía, 1990).

Hirigoyen, M.-F., *Le harcèlement moral*, 1998 (trad. cast.: *El acoso moral. El maltrato psicológico en la vida cotidiana*, Barcelona, Paidós, 1999).

—, *Malaise dans le travail*, 2001 (trad. cast.: *El acoso moral en el trabajo*, Barcelona, Paidós, 2001).

Linares, J. L., *Del abuso y otros desmanes. El maltrato familiar entre la terapia y el control*, Barcelona, Paidós, 2002.

Madanes, C., *Sex, love and violence. Strategies for transformation*, 1990 (trad. cast.: *Sexo, amor y violencia*, Barcelona, Paidós, 1993).

Perrone, R., *Violencia y abusos sexuales en la familia. Un abordaje sistémico y comunicacional*, Buenos Aires, Paidós, 1997.

DEL ABUSO Y OTROS DESMANES
EL MALTRATO FAMILIAR, ENTRE LA TERAPIA Y EL CONTROL

JUAN LUIS LINARES

Colección: Terapia Familiar, 85
ISBN: 84-493-1276-0 - Código: 14085
Páginas: 232 - Formato: 15,5 x 22 cm

El maltrato familiar es un tema, qué duda cabe, de dolorosa actualidad. Seguramente por ello es también un terreno polémico, encrucijada de modelos teóricos y de estrategias de intervención y campo de batalla de diversas ideologías.

El presente libro se basa en dos propuestas fundamentales. Por una parte, el fenómeno del maltrato es mucho más amplio y extenso de lo que se suele pensar, puesto que incluye pautas relacionales disfuncionales que no llegan a manifestarse físicamente: es el maltrato psicológico, que puede revestir caracteres trianguladores deprivadores o caóticos, y del cual el maltrato físico constituye un emergente cuantitativamente menor. En consecuencia, será en este campo relacional donde resultará más rentable dar la batalla al maltrato, tanto físico como psicológico.

Pero, además, y aunque el control pueda ser necesario frente a situaciones de intolerable sufrimiento por parte de los niños maltratados, son una visión y una estrategia terapéuticas las que ayudarán a inducir cambios relevantes. El control por sí solo, exento de una más compleja y superior dimensión terapéutica, no sólo fracasa en su intención protectora de la víctima, sino que sienta las bases del maltrato institucional.

Los profesionales de salud mental, de servicios sociales, de atención al menor y de otros campos relacionados con la infancia pueden obtener de la lectura de este libro claves que les ayuden a enfocar el maltrato familiar como un fenómeno humano, evitando los prejuicios que lo satanizan, lo animalizan o lo masculinizan, y a abordarlo terapéuticamente allí donde se produce: en el entramado relacional de la familia.

DESCARGUE NUESTRO CATÁLOGO EN www.paidos.com